Louis d'Aragon

Un voyageur princier de la Renaissance

« LES INCONNUS DE L'HISTOIRE »

Une collection dirigée par Jean Montalbetti

Qui sont-ils ? Ils ne sont pas les vedettes de l'histoire souvent devenues des mythes à force de célébration. Ils ont inspiré sinon incarné un courant de pensée, une découverte scientifique, une mutation sociale, un événement politique. Au-delà de leur destin individuel, ils sont révélateurs de leur époque. Leur action, leurs recherches, leurs récits, ont permis aux historiens d'aujourd'hui une nouvelle approche de l'histoire.

C'est d'abord à Radio France, comme producteur, que Jean Montalbetti a inauguré cette galerie originale des « Inconnus de l'histoire » : cent vingt-trois émissions ont été diffusées sur France Culture, entre octobre 1981 et avril 1984. Nous avons demandé aux meilleurs historiens contemporains d'écrire ensuite l'itinéraire de ces « Inconnus de l'histoire » parce qu'à travers le récit toujours passionnant d'une aventure individuelle ces témoins exemplaires permettent de connaître leur époque mais aussi, dans un passé sans cesse réactualisé, de mieux comprendre notre temps.

PARUS

Georges DUBY, *Guillaume le Maréchal,* ou le meilleur chevalier du monde

Henri H. MOLLARET et Jacqueline BROSSOLLET, *Alexandre Yersin,* ou le vainqueur de la peste

Jean MAITRON, *Paul Delesalle,* un anar de la Belle époque

Jean TULARD, *Joseph Fiévée,* conseiller secret de Napoléon

Jacques GODECHOT, *Le Comte d'Antraigues,* un espion dans l'Europe des émigrés

Alexandre BENNIGSEN et Chantal LEMERCIER-QUELQUEJAY, *Sultan Galiev,* le père de la révolution tiers-mondiste

André MIQUEL, *Ousâma,* un prince syrien face aux croisés

André Chastel

Le cardinal Louis d'Aragon

Un voyageur princier de la Renaissance

« Les inconnus de l'histoire »

Fayard

DU MÊME AUTEUR

Renaissance méridionale et *Le grand atelier*, Italie 1460-1500, 2 vol., Gallimard, coll. Univers des formes, 1965.

Fables, formes, figures, 2 vol., Flammarion, coll. Idées et recherches, 1978.

Art et humanisme à Florence au temps de Laurent le Magnifique, P.U.F., rééd. 1982.

L'Art italien, Flammarion, rééd. 1982.

Chronique de la peinture italienne à la Renaissance, 1280-1580, Office du Livre, 1983.

Le Sac de Rome. Du premier maniérisme à l'art de la Contre-Réforme, Gallimard, 1984.

Édition

Giorgio VASARI, *Les Vies des meilleurs peintres, sculpteurs et architectes,* 11 vol., Berger-Levrault, 1981-1986.

I

Un prince napolitain au Sacré Collège

A Santa Maria sopra Minerva, une plaque de marbre murale, apposée en 1533, signale la tombe du cardinal Louis d'Aragon (1474-1519). Elle est discrète. Elle se trouve, au ras du sol, en face du tombeau de Fra Angelico (réaménagé depuis 1980 de façon spectaculaire). L'épitaphe du cardinal est une inscription latine indiquant l'origine royale, l'âge et la mort prématurée du personnage. On peut la traduire ainsi :

> LE CARDINAL ALOYSIUS D'ARAGON NAPOLITAIN, PETIT-FILS DE FERDINAND ET ARRIÈRE PETIT-FILS D'ALPHONSE PREMIER, A VÉCU QUARANTE-QUATRE ANS QUATRE MOIS ET QUINZE JOURS. LE CARDINAL FRANCIOTTI ORSINI A ÉLEVÉ EN EXÉCUTION DU TESTAMENT CE TOMBEAU EN M D XXX III.
>
> TOUT T'EST DONC PERMIS, LACHESIS, ET NUL NE PEUT ÉVITER QUE TES MAINS CRIMINELLES S'APESANTISSENT SUR LUI.

ISSU D'ANCÊTRES ROYAUX, ALOYSIUS, DONT LA TÊTE CONSACRÉE CONNUT L'ÉCLAT DU CHAPEAU ROUGE, LUI QUI REÇUT EN DON TOUTE VERTU, QUI AURAIT PU VIVRE DES SIÈCLES, GÎT ICI.

HÉLAS ! COMBIEN D'ANNÉES ESPÉRER, NOUS AUTRES MORTELS, SI CES ÊTRES SUPÉRIEURS N'ONT QU'UNE SI COURTE VIE.

Pas de prières ni d'imploration au Seigneur ou à la Vierge pour le défunt. Seulement un regret qu'il n'ait pas joui assez longtemps de l'existence terrestre. L'inscription rappelle les épitaphes grecques de l'Anthologie, et l'allusion à la Parque Lachésis sonne curieusement antique. On dirait que pour le collègue et l'ami qui a pris tardivement soin de ce tombeau, le haut rang dans le siècle et la dignité dans l'Église du cardinal Aloysius lui assuraient un traitement de faveur auprès du Ciel : son salut allait de soi. Cette épitaphe a été placée en 1533, longtemps après la mort du cardinal. Celle-ci avait eu lieu brusquement en janvier 1519, peu après le retour du grand voyage qui va nous intéresser. Ce fut apparemment une surprise : un cardinal si noble, si charmant, si doué, était fait pour vivre longtemps. Le tour affectueux de l'inscription le laisse entendre, mais elle reste à cet égard un document assez exceptionnel.

Même un peu insolites, les épitaphes ne disent pas tout. Comment deviner en cet « être supérieur » le personnage que nous révèlent les documents : éveillé, mondain, homme de table, de chasse, de curiosité, de plaisir, en même temps qu'un politique travaillant auprès des deux grands Pontifes de la Renaissance, et, tout compte fait, un homme d'Église attentif à certains problèmes de la dévotion chrétienne ? Les personnalités généreuses et expansives qui participent étroitement à leur temps ne laissent pas nécessairement dans l'Histoire autre chose qu'un souvenir discret, fugace, éparpillé au point de sembler quasi nul. C'est en tout cas ce qu'on peut observer, ce sur quoi nous n'allons pas cesser de nous interroger en considérant ce cardinal voyageur. Comment cerner le caractère, retrouver la physionomie d'un homme que l'Histoire a presque oublié ? Dans le monde de la pourpre cardinalice, une figure aussi accomplie est-elle si difficile à situer ?

Venu au monde en 1474, Luigi, fils du marquis de Gerace — un bâtard reconnu de Ferdinand d'Aragon (1458-1494) —, était un prince napolitain par sa naissance, par son éducation, par sa fidélité exemplaire à une famille fortement mise à l'épreuve par les événements de la fin du siècle. Comme on sait, la bâtardise d'un père n'avait pas grande importance ; elle n'empêcha pas Aloysius de recevoir le chapeau rouge des mains d'Alexandre VI à l'âge de vingt ans. Depuis l'arrivée du pape Borgia (1492), tout ce qui était espagnol était en faveur. En fait, Aloysius était déjà un instrument politique de choix ; le prédécesseur immédiat d'Alexandre VI, Innocent VIII, sachant que le vieux roi Ferdinand souhaitait rapprocher Naples du Saint Siège, avait marié le jeune homme, âgé de dix-huit ans, à sa propre nièce, Battistina Cibo. Arrangement diplomatique qui tourne court aussitôt : Ferdinand meurt, le Pape meurt, Battistina meurt. Le Pontife suivant, Alexandre, procédant, selon l'usage, à une nomination de cardinaux destinés à lui donner plus de prise sur le Sacré Collège, fait du veuf prématuré un jeune cardinal. Ainsi allaient les choses en 1494.

On était à la veille de grands bouleversements. Les chevaliers français emmenés par le chimérique Charles VIII descendent sur Naples : le fils de Ferdinand, Alphonse II, est balayé et il meurt à son tour. Puis les Français impétueux, avides et inconsidérés, repartent vers les Alpes, aussi vite qu'ils sont venus durant l'été de 1495. La confusion dans le Royaume de Naples est totale. Le petit cardinal n'y pouvait pas grand-chose. Mais la suite plutôt trouble des événements va beaucoup compter pour lui. Après 1496, la branche napolitaine des Aragonais ne parvient pas à reprendre pied durablement. Il se dessine une mainmise directe de Ferdinand le Catholique qui, d'accord dans un premier temps avec le nouveau roi de France, Louis XII, chasse purement et simplement ses cousins italianisés de leur beau royaume ; le dernier roi de Naples, Frédéric, n'a plus qu'à se réfugier en France, où il a la bonne idée de mourir en 1504. L'astucieux roi d'Aragon, Ferdinand, dont Machiavel admirait tant le génie cruel, qui avait unifié l'Espagne et venait de ramasser le royaume de Grenade (1492), n'a plus qu'à chasser les derniers Français, pour installer un vice-roi directement sous sa dépendance. Le jeune cardinal, qui a vécu tout cela de près et de loin, en a retenu, croyons-nous, beaucoup d'enseignements et l'idée d'une grande tâche.

Il n'arrivait pas souvent qu'on pût bénéficier si tôt, si vite, de la double dignité qui, au XVIe siècle, faisait respecter un homme de façon décisive. Être à la fois au-dessus de la noblesse ordinaire et du clergé commun, appartenir tout ensemble au grand « club » des familles princières et du Sacré Collège — que certains cardinaux nommaient comme les humanistes le « Sénat » du Saint Siège —, mettait quelqu'un hors de pair. A une condition seulement : avoir les moyens de tenir le rang que ce double privilège obligeait à assumer. L'histoire d'Aloysius le montrera bien ; s'il faut beaucoup d'argent à un prince, il en faut encore plus à qui est doublement prince par le sang dans le monde, par le rang dans l'Église. Les chroniques nous disent qu'il mena une vie brillante. Mais sa personnalité resterait voilée sans deux documents précis et révélateurs, fort inégaux d'ailleurs d'étendue et de nature : l'oraison funèbre (en latin) prononcée à ses funérailles en janvier 1519 et le journal (en italien) du voyage de dix mois accompli par Aloysius au-delà des Alpes en 1517-1518.

L'*oratio funebris* (conservée au Vatican) donne la tonalité générale : admiration et déférence. Elle insiste avant tout sur la haute naissance et la noblesse de caractère du personnage. L'orateur se lamente, comme l'épitaphe, de l'enchaînement des malheurs survenus à un homme que tout destinait à être heureux et qui s'est malgré tout employé à vivre avec éclat et dignité. Le seul reproche qu'on a pu lui faire, l'amour excessif de la chasse, ne doit pas être retenu. Finalement, comme Ulysse, il a trouvé une patrie sûre au Ciel. Maintenant, conclut audacieusement l'*oratio*, « tu as atteint le Christ dans cette chasse bienheureuse que tu menais sur terre par la foi, la dévotion et les cantiques *(hymnis)* ». Cet homme charmant et généreux connaît le bonheur et nous laisse un grand souvenir.

L'*Itinerario*, rédigé par le chanoine Antonio de Beatis, secrétaire et chapelain de Son Éminence, est tout autre chose : nul souci d'éloge convenu n'encombre les notions précises et les observations terre-à-terre, d'autant plus savoureuses qu'elles sont souvent directes et inattendues comme des fleurs qu'on cueille en passant. Bref, ce texte finalement assez long est le meilleur outil à notre disposition pour tirer de l'obscurité, où le sort l'a finalement enfermé, ce prélat pourvu de toutes les vertus et qui mourut prématurément.

Monseigneur Louis d'Aragon, que nous appellerons Aloysius à la latine ou Luigi à l'italienne, aimait et savait voyager. Il était en cela parfaitement de son temps. Tout bougeait ; l'actualité était dominée par de formidables expéditions à travers l'Atlantique, les

UN PRINCE NAPOLITAIN AU SACRÉ COLLÈGE

Pietro de Milano : buste de Ferdinand d'Aragon.
Musée du Louvre. Photo © Musées nationaux.

départs vers la Terre Sainte, les équipées des armées françaises, les va-et-vient incessants des diplomates ; tout le monde allait facilement sur les routes sous des prétextes divers. La Renaissance n'était pas un temps calme pour les grands de ce monde. Au tournant du siècle, devant les vicissitudes de ses parents napolitains, le cardinal accompagna la reine veuve Juana à la Cour d'Espagne. Cette épouse de Ferdinand II de Naples (mort en 1495), était la propre nièce du Roi Catholique. Peine perdue. En attendant un règne plus favorable à la famille napolitaine du côté des Espagnols, il valait peut-être mieux s'appuyer sur leurs rivaux de France ; Luigi passa quelque temps à la cour de Louis XII. Cette familiarité avec le milieu français le rendit utile à Jules II, qu'il rejoignit à Rome en 1503. Le pape l'amena avec lui pour discuter avec Louis XII des affaires de Gênes en juin 1507. Gai, actif, vraisemblablement bon diplomate, Luigi semble être devenu indispensable au pape guerrier. Il le suivit dans la rude campagne de l'hiver 1510-1511 au siège de la Mirandole dont un chambellan a rapporté les détails : « Sa Sainteté loge dans la cuisine du couvent (de Sainte-Justine), moi dans une écurie ouverte à tous les vents, qui en toute autre circonstance serait trop mauvaise pour les domestiques, mais qui est maintenant si recherchée que les cardinaux Cornaro et d'Aragon eux-mêmes m'ont prié de la leur céder. Le temps est épouvantable : toute la journée d'aujourd'hui n'a été qu'un ouragan de neige. Le pape est sorti malgré tout ; il jouit d'une santé et d'un tempérament surhumains ; il semble inaccessible à la souffrance » (Paolo Cappello, 13 janvier 1511).

Cardinal-diacre depuis 1504 avec le titre de Santa Maria in Aquiro puis de Santa Maria in Cosmedin (c'est un détail qu'il faut avoir présent à l'esprit à la lecture des chroniques et des lettres, où les cardinaux sont désignés le plus souvent par leur titre), Luigi occupait donc auprès du pape « terrible », une place en évidence en ce sens qu'il ne le quittait pas. Il vit ainsi le pontife le plus guerrier qu'ait jamais connu l'Église tour à tour attirer les armées françaises pour humilier Venise (1509), puis, par un jeu de bascule parfait, nouer l'alliance avec les Vénitiens et l'empereur Maximilien pour expulser les Français de l'Italie du Nord (1512). L'histoire allait très vite, mais les personnages changeaient. Léon X succéda à Jules à la fin de 1513 : il entendait, à la différence de son prédécesseur, être le Pontife de la Paix. On le vit tout de suite après la victoire du 14 septembre 1515 à Marignan, qui porta le nouveau roi de France au pinacle ; moins d'un an plus tard, en août 1516, était signé à Bologne un concordat d'une grande importance pour la monarchie française. Luigi, promu a près de vingt ans, comptait parmi les cardinaux chevronnés et devint rapidement un intime de Léon X. Il avait deux passions en commun avec le fils de Laurent le Magnifique : la chasse et la musique. Son nom apparaît toujours à cette occasion dans les rapports d'ambassadeurs, dans les chroniques. Tout cela dessinerait plutôt, en somme, la silhouette d'un auxiliaire dévoué dans l'ombre des grands papes. Mais ce serait une erreur de croire pour autant à un personnage effacé. Il est heureusement possible d'en savoir davantage sur son compte ; c'est dans le journal du voyage outre-monts de 1517 qu'il faut chercher.

On ne connaît même pas sa silhouette, son visage. Sa tombe ne comporte pas de statue, simplement l'épitaphe. Un chroniqueur dit seulement qu'Aloysius ressemblait beaucoup à son arrière-grand-père, le roi Ferrant. A une époque où tant de personnages nous sont connus par des portraits, il est assez singulier que celui de Luigi n'ait été signalé nulle part. Peut-être et même probablement le voyait-on sur les fresques du château Saint-Ange où Pinturicchio avait figuré tous les membres importants de la Curie au temps d'Alexandre VI, mais il n'en reste rien. Voilà donc un des rares cas où, pour cerner une personnalité qui se révèle d'une certaine importance, nous ne disposons guère que d'un texte, l'*Itinerario,* récit d'un voyage de dix mois.

Ce journal est tenu par un chapelain-secrétaire qui a inscrit son nom et son titre : Antonio de Beatis, chanoine de Molfetta, en tête des manuscrits. Le texte est conservé à Naples en deux versions. Ce document date de 1521 ; il a évidemment été rédigé d'après des notes prises à chaque étape du voyage. Comme le journal de voyage de Montaigne soixante-dix ans plus tard, il était tenu par un auxiliaire (jusqu'au moment où Montaigne, agacé, décida de prendre la plume). Les observations sur les villes et les gens sont tour à tour attribuées à « je », à « nous », à « Monseigneur ». Outre l'indication des étapes, des distances, des gîtes, le texte consigne tout ce qui a été remarqué par les uns ou par les autres, mais avec une priorité pour les réflexions et les intérêts du cardinal. Comme on le verra sans peine, Antonio de Beatis n'est pas un personnage entièrement effacé, mais on sent peser tout au long de son recueil le regard supérieur de l'homme averti, qui dicte ses impressions en rapport avec ses curiosités et ses passions : Aloysius.

Qu'est-ce que le cardinal d'Aragon, qui avait maintenant passé la quarantaine, est allé faire outre-monts ? Quand on sut à Rome et ailleurs que le 9 mai 1517, Monseigneur avait quitté Ferrare, la cité d'Alphonse d'Este, pour aller à Vérone et au-delà en direction des Alpes, il y eut de nombreuses spéculations sur les raisons de ce départ. Et les rares historiens modernes qui ont parlé de ce voyage, Ludwig Pastor et John Hale, n'ont pas réussi à faire la lumière.

D'abord, que dit Antonio de Beatis dans son prologue ?

> « Sous couleur d'aller rendre ses devoirs au Roi Catholique, nouvellement élu roi des Romains par la grâce de Dieu et parent de son illustrissime seigneurie,

> monseigneur, non content d'avoir visité à plusieurs reprises la plus grande partie de l'Italie, à peu près toute l'Andalousie et le reste de l'Espagne, avait délibéré d'aller voir aussi l'Allemagne, la France et toutes ces régions qui occupent au nord et à l'ouest les rivages de l'Océan, afin de se faire connaître à toute cette variété de gens. »

On lit bien : « Pour se faire connaître » *(con demonstrarse)*; déclaration assortie d'une citation de l'Écriture (Jean, XVI, 16) qui ne peut qu'étonner : « Encore un peu de temps et vous ne me verrez plus... » L'affection du chanoine pour son seigneur disparu l'entraîne manifestement un peu loin quand il le compare ainsi à Jésus...

C'est la proposition initiale qui mérite l'attention : « Sous couleur d'aller rendre ses devoirs... » (le texte est plus accusé encore : *sotto scudo et colore,* c'est-à-dire : sous prétexte et sous couleur de...). Autrement dit, en 1521, le départ du cardinal est présenté comme une fantaisie personnelle, répondant à un dessein « culturel » et à une recherche de prestige — ce qui, après tout, peut se comprendre de la part d'un prince de l'Église et d'un prince tout court. Mais pourquoi cette « couverture » ? Entre-temps, en effet, le grand, le redoutable Ferdinand le Catholique avait quitté ce monde (1516) ; et à sa place était apparu, à la suite des vicissitudes compliquées de la Maison d'Espagne, le jeune, le tout jeune

Charles de Habsbourg qui, héritier de la Bourgogne et des Pays-Bas, était devenu d'un coup le maître de la Castille étendue à toute l'Espagne. Nul ne pouvait s'étonner que son lointain cousin ait pu souhaiter lui présenter ses hommages. Mais était-ce une simple « couverture » ? Nous nous contenterons difficilement de cette explication, car elle dissimule, à notre avis, l'initiative originale, dont on ne peut prendre la mesure sans étudier le tableau généalogique des Aragonais de Naples.

Il y a dans l'*Itinerario* une abondance de noms de personnes de haut-rang qui peut faire penser au Bottin mondain. Luigi, comme une figure de Saint-Simon ou de Proust, connaît et cultive toutes ses parentés, ses alliances. Il rend ses devoirs à tous les siens.

Après la disparition d'Alphonse II († 1495), de son fils Ferdinand († 1494) puis de Frédéric († 1504), les héritiers « légitimes » de Naples, ou plutôt ceux qui pouvaient prétendre à l'être, se trouvaient de moins en moins nombreux. Quand il alla en octobre 1517 saluer l'urne du regretté roi Frédéric à la cathédrale de Tours, Louis put refaire mentalement un calcul familier ; il n'oubliera pas non plus quelques semaines plus tard d'aller se recueillir sur la tombe du « très illustre Seigneur l'Infant don Alphonse d'Aragon, second fils du regretté roi Frédéric et de la très malheureuse reine Isabelle... » au couvent de Sainte-Claire à Grenoble... Tout compte fait, les prétendants possibles n'étaient plus que deux : le duc de

Calabre, Ferrant (le Jeune), tenu sous surveillance en Espagne, et Aloysius. Jamais les Espagnols ne libéreraient le pauvre petit Ferrant (né en 1502). Conclusion ? Ce calcul simple, Luigi ne pouvait pas ne pas le faire.

C'était une époque où l'on assistait partout à d'incroyables rebondissements ; comment ne pas considérer que le cardinal serait peut-être appelé un jour sur le trône ? L'un des informateurs vénitiens prêtait d'ailleurs cette idée à Jules II : « Le Pape veut chasser l'Espagne d'Italie et faire roi de Naples le cardinal d'Aragon. » En 1512. Tout simplement. Le vieux pape-soldat venait de renvoyer Louis XII au-delà des Alpes ; en un second temps, on aurait refoulé les « barbares » étrangers du sud. Ce sont là des pensées qui se formaient dans les têtes politiques. Jusqu'à ce que la mort interrompe tout, comme ce fut le cas pour Jules II. Mais, toujours d'après les informations vénitiennes, l'idée réapparut plus ou moins sérieusement sous le pontificat de Léon X en faveur du frère du pape, Julien de Médicis. C'était, après tout, du souverain pontife que dépendait l'investiture de Naples. Mais Julien venait justement de mourir à Florence en mars 1516. Alors ?

Une remarque d'un chroniqueur flamand qui se trouvait à Rome nous aide à conclure : ce cardinal de sang royal, aussi distingué dans des actes que son éloquence, « était l'héritier du Royaume de Naples dont son cousin (en fait, son oncle : Frédéric) avait été chassé ». Prenons-en acte.

L'idée qu'on voyage pour le plaisir n'a rien de singulier à la date où nous sommes. Les randonnées d'étude étaient et avaient sans doute toujours été fréquentes. Plusieurs intentions pouvaient, après tout, fort bien se combiner. Trois ans après le circuit outre-monts du Cardinal, Albert Dürer entreprit une petite expédition aux Pays-Bas, qu'il justifiât dans son passionnant journal par le désir d'entrer en contact avec les confrères (lui aussi voulait se « faire connaître »), par le souci de « commercialiser » ses estampes et l'envie de connaître les villes, les gens, les œuvres d'art. Le cardinal Jean de Médicis, le futur Léon X, qui n'était pas *persona grata* auprès d'Alexandre VI, avait entrepris en 1502 un voyage en Allemagne et en France, comme Aloysius quinze ans plus tard, pour voir le monde, *visurus mundum,* déclare exactement le biographe Paul Jove.

Mais ce précédent a amené une autre hypothèse. Une crise intérieure à la Curie, due à une conjuration ourdie par le cardinal Petrucci contre le Pape, fut éventée en mai 1517 et sanctionnée par de dures condamnations en juin. On a fait le rapprochement. les ragots recueillis par les informateurs vénitiens affirment : « Le cardinal d'Aragon a quitté Rome et est allé voir le Roi Catholique contre la volonté du Pape. » Pourquoi cela ?

Aloysius sortit de Ferrare le 9 mai. Son départ se situe exactement entre la découverte du complot en avril et l'arrestation de Petrucci le 18 mai. Ce fut suffisant pour que, la malice et la méfiance aidant, on trouvât la coïncidence singulière. Aucun des documents du procès des accusés ne mentionne Aragon, mais le bruit qu'il s'était opportunément éloigné courut à Rome. Un obscur clerc, qui a tenu un journal (resté manuscrit) des événements de Rome, a enregistré cette rumeur : Aragon connaissait la conspiration, mais son rang le mettait au-delà de toute suspicion et il partit en voyage au-delà des Alpes pour ne revenir que l'affaire une fois oubliée. En fait, à son retour, un banquet fut offert en son honneur par le Pape le 16 mars 1518. Ce geste peut être interprété comme la preuve de l'innocence ou la manifestation d'un pardon.

Un document inédit — que je dois à l'amitié du professeur John Shearman — jette une lumière intéressante et précise sur ce départ. Le secrétaire de Laurent de Médicis a signalé à un des collègues de Rome le passage de Luigi à Florence ; la lettre est du 23 avril :

> « Ce matin le Rev.me Cardinal d'Aragon est arrivé à Florence et a logé ici. Je suis allé au-devant de lui à la Chartreuse avec un grand nombre de gens. Demain après le déjeuner, il partira pour [ ]. Je n'ai pas manqué et je manquerai pas de veiller à ce qu'on fasse l'honneur qu'il convient à un tel Seigneur. Il m'a déclaré qu'il ira à Ferrare et y restera quelques jours, si le Roi Catholique ne part pas trop vite ; il

> dit qu'il se rendra peut être en Flandre pour saluer Sa majesté et voir si l'on peut faire délivrer le duc de Calabre. S'il ne va pas en Flandre, il se partagera entre Ferrare et Mantoue, puis ira se reposer à Milan puis à Gênes. Le moment venu il retournera à Rome. » [Goro Gheri, Florence, à Bernardo Fiammingo, Rome].

C'est là le type d'information qui circulait d'un secrétariat politique à l'autre ; les faits et gestes du cardinal étaient suivis de près, et pas seulement par les agents de Venise. Rien ici sur les raisons du départ ; le cardinal a simplement fait étape à Florence ; il loge au palais Médicis, rendu depuis plusieurs années à la famille du pape régnant ; on est allé, comme il convenait pour la visite d'un cardinal, l'attendre à la Chartreuse de Gallugo, ultime étape sur la route qui vient de Rome ; il est clair qu'on l'entoure de toutes sortes de marques de respect et qu'on lui assure tout confort.

Il est intéressant de savoir que Luigi hésite encore sur la décision à prendre concernant le voyage outre-monts ; tout dépend apparemment de la possibilité de rencontrer le jeune Charles de Habsbourg devenu Roi Catholique depuis quelques mois. Il se trouve au château de Middelbourg, où il attend la flotte qui doit le porter en Espagne. Le problème de la succession de Naples est bien à l'arrière-plan avec l'allusion au pauvre petit duc de Calabre, qui devrait être tiré de sa prison espagnole pour retrouver une position de prestige à Naples.

Tout est donc suspendu au courrier qui donnera peut-être à Ferrare, dans un ou deux jours, des précisions sur la durée du séjour de Charles ; si le calendrier est contraire à son projet, le cardinal prévoit une variante, un tour italien, avant de regagner Rome *al tempo nuovo,* dit le texte, quand les choses auront changé ou quand la saison sera meilleure, ce qui peut laisser l'impression qu'il y a bien eu une sorte de disgrâce à l'origine du départ.

En somme, fin avril, rien n'est tout à fait décidé. Aloysius attend des précisions sur la durée du séjour du nouveau roi d'Espagne en Flandre. De toute façon, il faudra aller vite. Pourquoi choisira-t-il finalement de passer par l'Allemagne du Sud ? C'est, on le verra, pour joindre le grand-père, l'empereur Maximilien, avant de rencontrer Charles. Une fois celui-ci atteint, comme il arriva en juillet, on sera libre de saluer les princes et les amis à la cour de France et de visiter ce beau pays.

Le personnage d'Aloysius est décidément assez complexe. L'*Itinerario,* qu'il est temps d'ouvrir, permet peut-être, d'une manière indirecte, d'y voir plus clair : voyage de plaisir, habile éloignement, préoccupations personnelles et dynastiques ?

Il est temps de partir, en effet. A la fin du manuscrit, Antonio donne des informations sur l'équipage :

> « Dix gentilshommes avec leur valet, un médecin et son majordome ; deux fourriers, deux cuisiniers, un comptable, un

interprète, deux palefreniers et trois garçons d'écurie, tous à cheval. Les garçons emmenaient trois chevaux de selle pour le cardinal et deux mulets, l'un pour les chandeliers et l'argenterie dans deux paniers, l'autre pour une litière transportable très commodément répartie en deux petites charges. Au total environ trente-cinq montures, y compris les chevaux menés à la bride, dans notre train jusqu'à la France. Au retour, avec les musiciens et les comédiens que le cardinal ramena avec lui en Italie pour ses distractions, nous arrivâmes au chiffre de quarante-cinq. »

Cette note technique livre le style de vie et l'allure du personnage : très entouré, un être social sans mystère, fastueux et soucieux du confort ; le lit portatif moins pour s'assurer un bon sommeil dans de mauvaises auberges qu'à cause de la goutte (il en aura deux attaques) qui oblige parfois à voyager en litière. Les détails fournis sur le costume achèvent de nous éclairer, comme dans les romans de Balzac. La garde-robe — ici un nécessaire de voyage — décrit du dehors le personnage :

> « Monseigneur ne revêtit pas son costume d'apparat ; il ne porta jamais ses robes [cardinalices] qu'à la Cour du Roi Catholique et à celle du Roi Très Chrétien. Pendant le trajet il avait comme nous tous un vêtement de soie rose à bandes de velours noir. Les serviteurs

> étaient vêtus de la même manière mais sans les bandes de velours. »

Choix intéressant : rose et bandes noires, soie et velours... Un costume mi-ecclésiastique, mi-seigneurial. En tout cas de belle apparence. Un départ spectaculaire, certes, avec tous ces gentilshommes et quel grand train ! Mais on en voyait beaucoup à Rome sous le pontificat médicéen.

En fait, nul ne peut en douter, on ne portait pas, en voyage, le costume d'Église. Un exemple : le 10 septembre 1503 au soir arrivèrent à Rome, venant de Rouen, les cardinaux Ascanio et d'Aragon, rapporte un *diario,* une chronique au jour le jour du Vatican, quatre cardinaux vinrent à leur rencontre au pont Milvius. « Là, descendus de cheval, ils revêtirent la robe longue, le rochet, le manteau, les capuchons pourpres et le chapeau cardinalice avec lesquels ils entrèrent en ville. » Le protocole prévoyait tout cela. Les robes écarlates des cardinaux étaient de tradition depuis le concile de 1245. Des règles, établies, si l'on en croit les auteurs, en 1389, sous Boniface IX, leur prescrivait l'habillement à prendre selon les circonstances. Sous Paul II, au moment où leur fonction « sénatoriale » devenait plus marquée, ils reçurent l'autorisation de porter une mitre de soie, des étriers dorés et des caparaçons rouges pour les mules (1464) ; mais cela vaut pour Rome, pour les déplacements officiels, où l'on accompagnera le Pontife. En voyage, il en va autrement. De toute façon on ne peut guère penser que Luigi souhaitait passer inaperçu. Dans les campagnes bavaroises, dans les auberges du centre de la France, peut-être. Encore que quarante personnes avec fifres se laissent plutôt remarquer. D'ailleurs, il sera régulièrement accueilli par les autorités ecclésiastiques, logé à l'archevêché, invité fastueusement dès que la troupe arrivera dans quelque cité d'importance.

Ce que toutefois Monseigneur sait ou ne sait pas, c'est que son voyage est suivi d'assez près par les « informateurs » patentés des Cours et avant tout les Vénitiens. Le 13 juillet, il assista à la cérémonie de remise du « chapeau » au jeune, au très jeune cardinal de Croÿ ; une dépêche adressée à Henri VIII précisera que le Révérendissime Aragon est arrivé avec quarante cavaliers, en manteau, une épée au côté et, s'il vous plaît, en faisant piaffer son cheval. « Vous voyez le genre d'homme », dit l'informateur. Nous aussi, nous commençons à le voir.

Le moment était exceptionnellement favorable. Le XVIe siècle a compté peu d'années aussi tranquilles, tout le monde l'a noté. Les accords diplomatiques pleins de promesses fraternelles et de garanties réciproques se multipliaient. Le chancelier Duprat, un gros parlementaire présent à toutes ces opérations, avait un zélé secrétaire qui tenait la chronique des affaires et recopiait les documents (1515-1521). Ce secrétaire, nommé Jean Barrillon, ouvre ainsi la nouvelle année qui, selon l'usage d'alors, commençait en avril :

> « Après que le Roy eut faict traité de paix, alliance et confédération avec le Pape Léon X, Maximilien Empereur et Charles Roy Catholique, et que, ensuyant le traité fait à Bruxelles [le 3 décembre 1516, accord sur l'évacuation de Vérone par les troupes impériales] la ville de Vérone avait été rendue aux Vénitiens et l'armée, qui était devant, départie et tous gens d'armes retournés en leurs maisons, ce royaume de France estoit en grand paix et tranquillité, et n'y avoit pour lors aucun bruit ou rumeur de guerre, division ou partialité. Les marchans faisoient leur train de marchandises en grande sûreté tant par mer que par terre, et commerçoient pacifiquement ensemble François, Anglois, Espaignols, Allemands et toutes autres nations de la chrestienté, qui estoit grande grâce que Dieu faisoit au peuple chrestien... »

Le calme de l'année 1517 était donc chose merveilleuse. Les querelles des princes avaient pris fin pour un temps après l'affaire difficile mais réussie de Marignan (septembre 1515). Cette page de Jean Barrillon donne le tableau des puissances : un vieil empereur, Maximilien Ier (1459-1519) qui terrifiait les Vénitiens ; un pape raisonnable et distingué, Léon X (né en 1475, élevé au Saint Siège 1513-1521) ; deux jeunes princes, François d'Angoulême (né en 1494, roi de 1515 à 1547) et Charles de Habsbourg (prince des Pays-Bas depuis 1506, roi d'Espagne depuis la mort de Ferdinand en janvier 1516).

Seul Henri VIII, on le verra, avait encore quelques agressions en train. On pouvait passer les Alpes sans crainte à partir de Vérone, aller jusqu'au Rhin, traverser la France et, en suivant la côte de Provence, rejoindre Gênes et Milan au retour, sans tomber sur des bandes, des lansquenets ou des Suisses menaçants, des cavaliers prédateurs. Érasme, que charmait le récent succès international de ses livres, parlait avec émotion d'un siècle qui serait l'âge d'or. L'*Itinerario* tenu par le chanoine De Beatis reflète un moment de tranquillité internationale et de paix publique. Cela seul suffit à conférer même aux motivations banales une sorte de rayonnement, une fraîcheur, une clarté qu'on ne rencontre pas souvent dans les textes de l'époque.

Mais pourquoi tenir un journal ? C'était de plus en plus l'habitude chez les Grands de ce monde et même plus simplement chez des voyageurs d'une certaine classe. Le monde devenait en quelque sorte chaque jour un peu plus net, coloré, précis ; on éprouvait le besoin de fixer le savoir et par là de l'affiner. Le long des routes, on regardait autour de soi et on souhaitait enregistrer, garantir par des notes écrites les informations jugées intéressantes. Pour une période qui va de 1450 environ au milieu du siècle suivant, il existe une quantité de manuscrits, dont beaucoup sont restés inédits, qui répondent à des titres divers à la notion de *diario* ou d'*itinerario.*

B. van Orley : tapisserie de Notre-Dame des Sablons (Bruxelles), vers 1519 : Charles de Habsbourg (détail). Photo X. D.R.

Art. français : François Ier ; peinture vers 1515-1520.
Musée Condé, Chantilly. Photo Lauros © Giraudon.

Les souvenirs de voyages existaient sous la forme de *commentari,* c'est-à-dire une masse plus ou moins grande d'informations variées : politiques, sociales, économiques sur les pays visités. Formule qui est celle des diplomates, princes ou prélats, et dont l'exemple le plus caractéristique, est l'ouvrage du cardinal Piccolomini (le futur Pape Pie II) sur l'Allemagne. Il s'agit pour l'humaniste siennois de donner une contrepartie moderne à la *Germanie* de Tacite. Plus étroitement scandé par le rythme de l'itinéraire, c'est aussi l'esprit des noms des voyages en Espagne accompli en 1511 par le grand François Guichardin. L'importance de l'historien a, naturellement, amené de bonne heure la publication de ce qui n'était sans doute pour lui que des matériaux en vue du « portrait » du royaume d'Espagne.

Une formule, moins ambitieuse, adapte au voyage le parti des *ricordanze* ou notations des événements notables, que pratiquaient certaines familles. On se contente de mentionner sommairement les faits jugés dignes d'intérêt. C'est, par exemple, le compte rendu qu'Antoine de Lalaing donne en 1501 du voyage en Espagne de son maître, le duc Philippe le Beau — le père de Charles de Habsbourg — : rencontres, réceptions. Le journal de Jean Barrillon, qu'on vient de citer, a été tenu pour le chancelier Duprat ; il s'agit cette fois d'un outil professionnel : on prend des notes sur ce qu'on observe, ou ce qu'on devine dans l'activité favorable ou dangereuse des partenaires. Ce type de journal se poursuit dès qu'on voyage. Il est, au fond, de même nature que les fameuses *relazioni* des diplomates ou des agents de Venise, dont nous avons observé la vigilance à Rome. Ces « rapports » éclairent sur les partis pris, les méthodes, les mentalités des milieux auxquels on a affaire. Le journal du cardinal n'est pas orienté à des fins aussi étroitement définies, mais, on va le voir, il conserve quelque chose de l'idée qu'il faudrait former le « portrait » des nations qu'on traverse.

Le journal d'Antonio de Beatis, dénommé *Itinerario,* a, à de notables différences près, plus d'affinités avec deux autres catégories de *diarii,* déjà abondamment représentées dans le premier tiers du XVIe siècle : le compte rendu domestique et la chronique-guide. Le premier cas est parfaitement illustré par le *Reisebuch* de Dürer, qui commence : « L'an 1520, le jeudi après la Saint-Kilian (c'est-à-dire le 12 juillet), moi, Albert Dürer, je suis parti de Nuremberg avec ma femme pour les Pays-Bas à mes frais et dépens. » Tout s'y trouve : les dépenses d'auberges, les hôtes, les transports, les visites aux confrères, aux clients, les cadeaux donnés ou reçus et quelques notations personnelles singulières. Il note très régulièrement avec qui et où il dîne ou soupe. On retrouve cette habitude dans l'*Itinerario,* mais avec des remarques sur les mœurs dont Dürer ne se préoccupe pas. D'Aix-la-Chapelle, l'artiste est allé à Anvers puis à Bruxelles et sur quelques points ses observations sommaires recoupent précieusement celles d'Antonio de Beatis.

Les journaux de voyage contemporains, donnent souvent l'impression de se répéter les uns les autres bien qu'ils soient tous restés manuscrits. S'il s'agit d'un pèlerinage sur un lieu saint, on reproduit les indications orales des guides ; on va admirer les *curiosa* ou recueillir les histoires étonnantes que racontent les indigènes. Moins tenu par les soucis professionnels que dans le cas précédent, plus ouvert, plus facile à amuser, plus disponible enfin, l'auteur de ce que nous pouvons appeler « chronique de voyage » n'oublie pas les dévotions qui servent de prétexte à son aventure et dont il faut attester qu'elles ont bien été accomplies. D'où, par exemple, les mêmes anecdotes sur les mêmes reliques. Quant aux bourgs et aux villes leur caractère saute aux yeux et chacun répète ce qui se dit à l'auberge ou chez un hôte. Les variations d'ampleur et de nature dans les observations consignées s'expliquent par le niveau social du voyageur. Mais de toute façon, sur les mêmes itinéraires, les recoupements abondent.

L'*itinerarium* qui a bien des égards présente le plus d'analogie avec les notes rédigées par Antonio de Beatis, est le journal en latin d'un médecin, Hieronimus Monetarius (c'est-à-dire Münzer) qui, en 1494, quitta Nuremberg, la ville où il exerçait depuis 1478, pour voyager : il avait avec lui trois jeunes et riches compagnons décidés comme lui, leur aîné (il était né en 1437), à fuir l'épidémie et à voir le monde en visitant les lieux de pèlerinage, en particulier Compostelle. Tourisme et dévotion se composent. Leur itinéraire est une coupe en diagonale : la Suisse, Lyon, la Provence, l'Espagne jusqu'à Compostelle et au retour l'ouest, la Normandie, Paris, la France du Nord, la Flandre. Ce document recoupe en sens inverse, mais en plus d'un point le circuit de Luigi d'Aragona. Comme dans l'*Itinerario* de 1517, une note rapide caractérise les villes, et l'on développe assez longuement les points de visite, comme certains champs de bataille ou des sanctuaires avec des reliques. Münzer est très cultivé ; il cite les textes antiques et, dans l'ensemble il est plutôt plus précis que le journal romain là où ils coïncident, par exemple sur les sanctuaires de la Sainte-Baume. Ce qu'on n'y trouve pas, ce sont les observations directes, les notations culinaires, et, bien entendu, les visites mondaines.

L'*Itinerario* de Luigi est plus vif, plus primesautier, d'intérêts plus divers. Il nous permet de reconstituer par étapes les préoccupations et les mœurs d'un grand personnage. Mais on peut y suivre aussi l'évolution de ce « genre », dépourvu de prétentions littéraires mais en train de prendre forme, qu'est le « journal de voyage ». Rédigé en souvenir du cardinal par son chapelain-secrétaire et resté inédit jusqu'à nos jours, l'*Itinerario* est l'un des meilleurs documents que nous ayons à cet égard. Et si on le considère enfin dans sa densité informative, il se révèle excellent sur l'Allemagne et la Flandre, mais tout à fait exceptionnel pour la France.

II

Le printemps de 1517 en Allemagne

Quel va être le comportement d'Aloysius dans la première partie de son itinéraire ? Le 11 mai, on quitte Vérone pour le Tyrol, la Bavière, la Souabe et le Rhin. On arrivera à Cologne, « si belle et si peuplée », le 30 juin. On y séjournera un peu, car c'est là une coupure naturelle, nous dit le secrétaire. A l'arrêt de Cologne on récapitulera les expérirences et les impressions fournies par les six semaines de la traversée de la Haute Allemagne. Viendront ensuite les Pays-Bas, visités avec des buts très précis du 1er juillet au 5 août ; et enfin la France, parcourue en zig-zag, jusqu'à fin novembre.

Nous connaissons l'équipement de la troupe de Monseigneur, mais nous ignorons tout de la documentation qu'ils ont pu emporter et surtout des indications retenues de mémoire. Des cartes tirées en xylographie existaient déjà pour les voyages à travers les Alpes. Il y avait même, depuis 1511, une carte des routes européennes, *(carta itineraria Euro-*

pae) due à Martin Waldsermüller. Pas encore de guide publié : mais on n'a à aucun moment l'impression que les voyageurs, même au Brenner où cela était possible, ont eu la moindre difficulté à trouver leur chemin et à faire étape.

De Vérone on monte par la vallée de l'Adige jusqu'à Trente et par les passes des Alpes, donc le Brenner, jusqu'à Innsbruck. Partie le 8 de Ferrare, le 11 de Vérone, la troupe arrive le 18 à Innsbruck. C'est un bon train. Deux petites notations : A Brixen, lisons-nous, « mon illustre maître fit la commande d'un orgue, à un maître qui les fabriquait de façon remarquable ». Un orgue ? On va en visiter, en essayer un grand nombre pendant le voyage. Comme toute la Cour romaine, Luigi est un mélomane, il partage la passion de Léon X pour la musique d'église. Voici donc un premier point à observer de plus près.

Cette commande faite en passant, au Tyrol, nous éclaire sur certaines arrière-pensées de l'itinéraire. A Nuremberg, Luigi passera ses ordres chez l'horloger et les fabricants de montres en cuivre, les fameux « œufs de Nuremberg ». A Malines, il achètera des armes. Un émissaire sera envoyé de Calais faire l'acquisition de chevaux et de lévriers : le grand chasseur fait ses emplettes là où il faut.

En France, on ne le voit pas multiplier les achats ; ceux-ci n'étaient sans doute pas notés au jour le jour. Mais en fin de parcours, une digression nous en donne une liste. On apprend qu'une « litière royale » spécialement fabriquée à Blois fut expédiée sur un galion avec « deux cent cinquante chiens de grande et de petite taille, des limiers et des lévriers ». A Lyon, ce fut une grosse commande de chevaux : vingt-huit en tout, chevaux de course, poneys, chevaux de selle. Tout cela expédié à Rome. On ramènera aussi des musiciens et des bouffons *(montieri)* nous ne savons d'où. Bref chaque contrée a ses ressources pour un amateur averti que la dépense n'effraie pas. Le voyageur connaît d'avance ou découvre les bonnes adresses. Et quel style de grand seigneur attentif à l'équipement de sa demeure, de ses écuries !

D'autres buts du voyage s'éclairent quand on arrive à Innsbruck le 18 et, huit jours plus tard, à Augsbourg. Coup sur coup, on voit mieux dans la relation du secrétaire ce qui intéresse Monseigneur. Innsbruck ne lui déplaît pas, « ville forte, belle et gaie ». L'empereur (il s'agit du vieux Maximilien, toujours en vie) y est venu plusieurs fois « avec six mille chevaux ». Voilà qui a de l'allure ; c'est un lieu de chasse pour princes menant grand train. Mais quelque chose attire plus spécialement le cardinal : les armuriers. Ici on a des spécialistes d' « armures qui ne résistent pas seulement à l'arbalète — comme celle que Monseigneur a fait faire — mais aussi au fusil. J'ignore si cela est dû à la fabrication ou au fer et à sa trempe ». On se commande donc une armure dernier modèle chez le bon faiseur. Et l'on va visiter l'étonnant musée de la chevalerie en armes qui est en préparation.

Pour son futur tombeau, Maximilien en effet, a demandé, aux maîtres artisans du Tyrol de fondre vingt-huit statues : les ancêtres de la Maison de Habsbourg.

> « Nous en avons vu onze qui sont achevées ; elles avaient environ neuf palmes. Ils fabriquaient aussi cent vingt huit statues de métal, hautes de trois palmes. Dans l'atelier nous en avons vu quelques-unes terminées : c'étaient divers saints. D'après les ouvriers et les seigneurs d'Innsbruck, l'Empereur voulait les mettre avec les grandes statues dans une chapelle qu'il a projeté de bâtir. Cette œuvre, une fois réalisée, sera magnifique et digne de la magnificence et de la grandeur de sa Majesté. »

Si la palme est comptée à 0,23 m, on voit la taille des statues et l'immense programme confié aux bronziers tyroliens par Maximilien. Il l'avait conçu dès 1502. Il le destinait à la chapelle impériale de Wiener Neustadt. Monseigneur d'Aragon a très bien senti que cette entreprise colossale signifiait une volonté d'exalter durablement la maison d'Autriche.

On ne pouvait savoir, bien sûr, qu'après la mort prochaine de Maximilien, tout en resterait là, avec le groupe si impressionnant des chevaliers de bronze recueillis dans la Hofkirche d'Innsbruck, autour du tombeau de l'Empereur. Les entreprises monumentales, les grands desseins, voilà ce qui attire le cardinal ; il se trouve que personne d'autre dans ce premier quart du siècle n'a su les regarder avec tant d'attention. Et c'est là qu'il commence à devenir très intéressant.

Ce n'est pas tout. L'église Saint-Jacques possède un orgue, « parmi tous ceux qu'on a vus durant le voyage, le plus parfait de tous ». L'*Itinerario* énumère les registres et les voix, « trompette, fifre, flûte, cornet, chalumeau, cornemuse, tambour, chant d'oiseaux symphonique, si près de la nature que, par une ingéniosité charmante, il ne diffère pas du vrai ». Nous savons maintenant ce qui compte pour Monseigneur d'Aragon : les personnalités, bien sûr, et, un peu après, les choses de l'art.

Au château, on rendit officiellement visite à deux reines, ce qui nous vaut en une page simple et claire le tableau véridique d'une réception de cour. Un grand salon : d'un côté, plus de cinquante dames d'honneur, « belles et vêtues à l'allemande », de l'autre, leurs majestés,

> « la sœur du roi de Hongrie, de quatorze ou quinze ans, promise au Seigneur Ferdinand, le frère du Roi Catholique (il l'épousa, en effet, en 1521), très jolie et charmante, les yeux vifs et une carnation qui semble faite de lait et de sang ; vêtue de velours noir et coiffée d'un béret également de velours noir. La seconde est la sœur du Roi Catholique ; elle doit épouser le roi de Hongrie ; elle a dix ou onze ans, elle a le teint sombre et ne me plaît pas

> beaucoup : elle était vêtue dans le même style, mais d'une autre couleur, avec un béret d'homme de velours noir. »

Des silhouettes féminines, l'*Itinerario* en évoquera beaucoup, mais peu d'aussi colorées. Examinons la manière dont elles sont observées : la physionomie dans ce qu'elle a d'immédiat, le costume dans ce qu'il a de recherché. Rien d'autre, rien de plus : le personnage est une figure de mode, mais rattachée au réseau international des Maisons régnantes. Ces petites filles, déjà fiancées, ou plus exactement négociées par la politique, sont caractérisées comme dans un portrait de Cour (De Beatis ne pouvait savoir que celle qu'il trouve laide, Marie, la sœur de Charles Quint, serait régente des Pays-Bas dix ans plus tard ; mais quel plaisir pour nous de saisir au passage ce personnage d'avenir !)

Une autre étape importante, la semaine suivante de juin, fut Augsbourg. La ville, « *allegra et assai bella di piazze...* », enchante Monseigneur, surtout avec sa tour-château d'eau astucieusement installée pour produire de grands jets d'eau en ville. Bel exemple de techniques avancées. Une visite à ne pas manquer. Pas plus que celle aux Fugger, « les plus grands banquiers de la Chrétienté », dont on analyse rapidement la fortune : prêts aux évêques et aux abbés, mines d'or et d'argent... Ces financiers de l'Église sont de vrais gens du monde : « Ils invitèrent Monseigneur à un bal avec des belles dames dans leur jardin situé dans un faubourg, où il y a des fontaines alimentées par des machines à roues jusque dans les chambres. » Leur chapelle vient justement d'être achevée au couvent des Carmes, Sainte-Anne. Visite obligatoire. Tout est noté : le marbre, les incrustations, les statues de l'autel, les stalles et, naturellement, l'orgue. Même la dépense : 23000 francs. De Beatis, sous la dictée du cardinal, travaille ici en grand reporter « culturel ». Le toit du palais des grands financiers est recouvert de cuivre (il venait d'être terminé en 1511) ; des salles très belles y sont qualifiées *all'italiana* ; elles sont bien comprises. On relève même la présence d'un savant, grand latiniste et hébraïsant, que l'empereur estime beaucoup ; son nom est un peu estropié sous la forme de Paulo Ruzo, il s'agit vraisemblablement de Konrad Peutinger, le grand philologue.

Les mécanismes sociaux, intellectuels, culturels qui président au voyage sont maintenant apparents. Des contacts avec les puissants ou les riches, et le déploiement normal, attendu, agréable, des plaisirs mondains. On est de son rang ! Des commandes d'instruments modernes, comme ces « œufs de Nuremberg », aux bonnes maisons : l'Allemagne est le paradis des meilleurs techniciens. Et surtout, aller droit aux objets rares, aux reliquaires, aux créations récentes de l'art. Et cette troupe distinguée, aux intérêts « culturels » évidents, n'oublie pas de vérifier et de faire noter par le bon secrétaire si les femmes sont jolies ou non. Excellente habitude ; presque dans chaque ville, les regards noirs de ces Italiens s'attardent sur les silhouettes charmantes et, si elles sont rares, on le signale.

La chrétienté était alors parsemée d'une quantité incroyable d'œuvres d'orfèvrerie, chaque contrée ayant à cœur d'en orner, d'en encombrer ses églises. Ainsi à Donauwerth, le reliquaire d'argent doré de la Sainte Épine et d'un morceau de la Vraie Croix. A Nuremberg, la couronne de Charlemagne et « son épée dans un fourreau de velours rouge », avec plusieurs reliques de la Passion. La moisson de *mirabilia* s'accroît régulièrement et toujours avec une observation précise du contenant, les « reliquaires ». A Constance, on enregistre soigneusement une liste abondante de reliques, dont un coffret contenant les os d'un martyr (on a oublié lequel) avec un couvercle que les chanoines déclarent « en or d'Arabie ». A Cologne, avec la châsse des Rois mages, les reliques conservées à Sainte-Ursule. A Aix-la-Chapelle, sous la voûte de la chapelle, la fameuse châsse sculptée contenant entre autres la chemise de la Vierge, dont l'ostension a lieu le 10 juillet pour la fête des sept martyrs, avec de nombreux Tziganes ce jour-là.

Mais à Nuremberg apparaît une notation nouvelle et sympathique, qu'il convient de citer tout entière :

> « A quelque cent pas en dehors de la porte du côté du fleuve, il y a sur cinq ran-

> gées une plantation de l'arbre que l'on appelle *linden* en Allemand, l'une d'elles suit le fleuve au niveau de l'eau. Ces arbres sont très élevés et leur feuillage ressemble à celui du mûrier blanc ; ils font une ombre exquise et leur fleur blanche est très odorante, mais sans fruit... Il y en a partout en Allemagne et en Flandre, mais surtout sur les places publiques *causa captandi frigus opacum* [« pour profiter de la fraîcheur de l'ombre », Virgile, *Buc.*, I, 52]. En Italie il est tout à fait inconnu, comme un autre arbre, le mélèze, dont le feuillage ressemble un peu au pin ; avec des branchages plus petits, il est plus agréable à voir. »

En somme, tout ce qui compose le milieu sensible mérite l'attention. Difficile ici de ne pas évoquer Dürer — que le cardinal n'a pas eu l'occasion de rencontrer (il nous l'aurait dit) — et ses admirables aquarelles des *linden,* des tilleuls fatidiques, traités comme des emblèmes du lieu.

Une machine parfaitement définie est donc en marche. Le voyage se déroule avec régularité. De Beatis prend des notes sur ce qu'on lui signale, et le caractère original du « grand tour » septentrional se précise sans défaillance. Tout est bien réglé, à une seule exception près. Après un mois de voyage, le 25 juin, on arrive à Worms, la grande ville impériale :

> « Nous y restâmes deux jours, pour attendre des nouvelles de l'empereur qui

se trouvait alors à Francfort. Quand on apprit que Sa Majesté impériale avait quitté Francfort pour Augsbourg, le cardinal, malgré son désir de le rencontrer, hésite à faire demi-tour et à repartir si loin, d'autant plus que l'embarquement du Roi Catholique pour l'Espagne devenait probable et le but principal du voyage était de le rencontrer et de se présenter à lui. Si on le manquait, il y avait lieu de le suivre. Mieux valait partir pour la Flandre. »

L'explication de l'*Itinerario* laisse penser qu'il y a eu un peu d'agacement à constater que Maximilien n'avait pas attendu que l'Aragonais vienne lui présenter ses devoirs. Mais enfin, le but affiché du voyage n'est pas le grand-père allemand mais le jeune Charles, le petit-fils, qui règne déjà sur l'Espagne et les Pays-Bas. La hâte de Luigi pour le joindre avant qu'il ne quitte la Flandre, montre assez que cette visite au Roi Catholique, successeur de Ferdinand, répondait à une préoccupation sérieuse. Le circuit avait été impeccablement étudié. Il n'y aura qu'une autre fausse manœuvre, une autre entrevue manquée : en août, avec Henri VIII d'Angleterre. On arrive au Rhin :

« La vue du Rhin de Mayence à Cologne est la plus belle que j'aie encore contemplée et que je pense jamais voir d'un autre fleuve. Aussi je me dois de la décrire. De part et d'autre du fleuve ce ne sont que vignobles ; cinq milles après Mayence jusqu'à trois milles italiens avant Cologne, les collines en sont toutes plantées. A la distance d'un demi-mille de chaque côté, il y a deux cent trente-cinq localités et quinze villes murées, dont quelques-unes relevant de l'archevêque de Mayence, d'autres de l'évêque de Cologne, de Trêves ou du comté Palatin, et aussi nombre de petits châteaux élevés sur des sommets et fortifiés à la manière allemande, demeures de gentilshommes. »

Les voyageurs sont charmés, intéressés, contents, mais ils ne manifesteront pas l'enthousiasme débordant de leurs prédécesseurs. C'est beau, très beau, mais on ne parle pas d'une merveille du monde, comme faisait Tafur (1439), ou d'un *reveru paradisus* comme le médecin de Nuremberg Hieronymus Münzer (1495). Peut-être se garde-t-on tout simplement de répéter des éloges du *Rheinland* connus de tous. Mais cette discrétion du ton peut aussi tenir au fait qu'arrivant au terme de la partie allemande du voyage, Antonio de Beatis se prépare à regrouper toutes les observations faites depuis Innsbruck dans une sorte de tableau général où, selon ses propres termes, il va énoncer le caractère, *la qualità*, de l'Allemagne.

Dans ce texte extraordinairement calme et précis, rien n'est oublié : les gros véhicules à quatre roues sur les routes, les forêts, les maisons de bois à balcon, couvertes de tuiles de couleurs et avec des portes magnifiques, les clochers aigus, et un peu partout « des roues et des potences sans nombre et non moins décorées — car ils donnent de somptueux ornements à leur structure —, que chargées de pendus et même de femmes coupables. Justice sévèrement administrée, bien nécessaire en ce pays ». La dernière proposition demanderait à être explicitée. Mais le spectacle a beaucoup frappé les voyageurs : ils décrivent en détail la technique des supplices qui consistent à briser les membres et à laisser le malheureux agoniser deux ou trois jours, « pour expier et assurer la publicité de cet affreux spectacle. Ces roues tenant un corps en l'air, nous en avons vu tout un champ ». Étrange enjolivement du paysage ; la Renaissance est un âge terriblement cru, voire cruel, en ces domaines.

L'Allemagne est le pays des bonnes auberges et des bonnes manières. Le passage sur les lits vaut d'être cité :

> « Il y a partout des matelas de plumes avec des édredons ; vous n'y rencontrez jamais puce ni cafard, à cause du climat froid ou parce que le dessus et le dessous sont oints de quelque préparation. D'après les Allemands cela ne sert pas seulement à détruire les cafards et le reste ; cela traite si bien les plumes qu'on a l'impression d'y dormir entre deux couvertures de laine fine. Cela se pratique seulement en été. Ces lits de plume sont

très grands, les oreillers énormes. Il y a beaucoup d'oies en Allemagne : j'en ai vu des troupeaux de quatre cents. » (...) Dans toute hôtellerie il y a trois ou quatre jeunes et jolies servantes ; l'hôtesse, ses filles et les servantes ne se laissent pas embrasser comme en France, mais on peut leur tenir la main gentiment, ou les prendre par la taille et même aller jusqu'à une petite étreinte. Elles s'invitent souvent à boire avec les clients en parlant avec qui sait quelle liberté et en se laissant lutiner, mais par-dessus les vêtements... »

Voilà de bonnes informations pour voyageurs : les conseils avertis d'un guide. De Beatis en sait même un petit peu plus : les femmes tiennent fort bien leur maison ; salies par les travaux ménagers, elles n'en sont pas moins belles et agréables, et « selon ce qu'en disent certains de notre compagnie, froides de nature mais finalement lascives ».

Grande affaire, naturellement : la nourriture. Le veau est excellent, le poulet aussi et le pain très bon. La bière est la boisson normale, mais le vin n'est pas cher. Partout des viviers et donc du poisson, de bonnes truites, faciles à entretenir dans ce pays de fontaines. Les fromages, eux, ne valent pas grand-chose ; il y en a un, tout vert, avec des herbes, qui se mange presque pourri, « si fort et si mauvais qu'aucun Italien n'en voudrait ».

Les églises ? Superbes avec leurs vitraux et

leurs cloches. Elles sont très fréquentées, avec des bancs séparés par une allée « comme dans les écoles publiques ; ils n'y parlent pas de leurs affaires et on ne s'y amuse pas comme en Italie. On suit la messe et les offices avec attention et on prie à genoux... » Les tombeaux y sont exceptionnels, on enterre dans les cimetières clos de murs, où les tombes décorées d'épitaphes comportent de petits bénitiers.

> « Les Allemands sont si recueillis pendant le culte divin, si soigneux de leurs églises dont beaucoup sont neuves, que je ne pense pas sans les envier au comportement religieux de l'Italie, aux pauvres églises mal entretenues qui tombent en ruines, et je m'attriste jusqu'au fond du cœur du peu de religion de nous autres, Italiens... »

Propos plutôt surprenants. On tendrait à penser que l'Église romaine veille à la condition de ses sanctuaires. De Beatis oppose la propreté toute moderne des églises rurales allemandes à la tenue médiocre de celles de la péninsule. Il est frappé par le comportement et la piété septentrionaux par opposition au laisser-aller des foules italiennes. Le journal est ici un bon révélateur, car il y a nombre de témoignages convergents sur ces différences de comportement à l'église entre le nord et le midi de la chrétienté.

III

Cinq semaines au pays de Charles de Habsbourg, nouveau Roi Catholique

Après Cologne et Aix, où l'on s'attarde, comme il convient, aux souvenirs extraordinaires de Charlemagne, le mouvement s'accélère. On passe vite à Maestricht, tout en prenant le temps de bien déjeuner et de bien dîner, puis à Louvain ; on traverse Malines le 5 juillet. L'équipage file vers l'Océan et plus précisément vers les boucles de l'Escaut et Berg-op-Zoom, où l'on prend un bateau pour l'île de Zélande. Le jeune prince qui vient de recevoir en 1516 l'héritage des Rois Catholiques en Espagne se trouve à Middelbourg, où il attend un navire pour gagner son royaume méridional. Il s'agit de le joindre à tout prix avant son départ.

La relation prend ici un nouveau ton. Il y a tout un personnel politique avec lequel il faut faire connaissance. Il faut obtenir une audience en règle. On allait donc demeurer dix jours à Middelbourg. Les informations deviennent plus techniques que jamais sur le cérémonial, les positions diplomatiques. Il y avait justement là le marquis de Pescara, les envoyés de Naples (on en comptait six, avec une suite énorme) et des évêques espagnols. Tout commence par une messe chantée au couvent des Bénédictins, avec la maîtrise du Roi Catholique, le cardinal étant admis auprès de celui-ci — honneur assez révélateur ! — mais sur un petit siège, naturellement. Ensuite le chanoine de Padoue, comte de San Bonifacio, prononce une petite allocution en latin et présente un bref de Léon X qui octroie l'investiture de cardinal au tout jeune neveu de Monseigneur de Chièvres ; le nouveau prince de l'Église, tout ému et non sans larmes, prononça un remerciement en un excellent latin. Cette cérémonie solennelle d'investiture a bien eu lieu comme le rapporte le journal d'Antonio de Beatis. Le chroniqueur attitré de Charles, un Bourguignon du nom de Laurent Vital, a consigné à ce sujet une information qui recoupe exactement notre texte. Ils concordent pour mettre en relief l'importance de l'élévation et la remise du « chapeau rouge ».

Luigi fait ses visites protocolaires. D'abord Marguerite, celle que nous nommons Marguerite d'Autriche, la veuve de Philibert de Savoie († 1504) que Maximilien avait nommée gouvernante des Pays-Bas dès 1506 et que son neveu Charles maintiendra en cette position élevée. L'*Itinerario* souligne, faute de mieux sans doute, qu'elle n'est pas laide et qu'elle a une allure tout impériale avec un petit rire *(un certo sgrignetto)* plein de charme. C'est là l'une de ces notations personnelles qui rendent le journal si précieux et où l'on peut soupçonner que le fidèle secrétaire n'a eu qu'à prendre note des observations malicieuses et précises du cardinal. Le morceau de bravoure sera évidemment le portrait en pied de Charles de Habsbourg à dix-sept ans ; avec le portrait symétrique, si l'on peut dire, de François Ier, visité à Rouen quelques semaines plus tard, c'est une pièce d'anthologie dont les chroniques auraient dû profiter. Tout y est en quelques phrases : grande taille, jambes superbes (nous verrons qu'on n'en dit pas autant du roi français), face longue et maigre, lèvre pendante, élégance et majesté. Bon cavalier, au dire du cardinal, qui — croit devoir souligner de Beatis — en est bon juge. Audiences après les repas.

Le 17 juillet, l'audience accordée par Charles seul à seul dura plus d'une heure. Le journal n'en dit pas davantage. Le but du voyage était là, en un sens. Il y avait justement en Zélande une foule de Napolitains. Il fallait plaider en faveur du pauvre duc de Calabre, adolescent exilé et captif, duc après lequel Aloysius, en somme, se trouvait être le dernier prétendant possible à l'héritage de Naples. Résultat des entretiens ? Nous n'en saurons jamais rien. Il aurait fallu que Charles, qui s'est révélé si secret et lent par la suite, fût bien différent à dix-huit ans de sa future définition pour prendre le moindre engagement. Et pourquoi desserrer la mainmise de Madrid sur Naples, en accordant une telle faveur au cousin certes fastueux, mais peut-être présomptueux ? N'avait-il pas de bons conseillers, dont précisément Monseigneur de Chièvres qui avait présenté le messager pontifical à l'assemblée réunie ? Considérait-il le cardinal caracolant comme une pièce sérieuse sur le plan diplomatique ? Sur le plan romain, sans doute, mais au-delà ? En tout cas, les émissaires de Venise qui, nous l'avons vu, signalaient périodiquement les faits et gestes du cardinal, avaient finalement trouvé la réponse, que nous pouvons retenir. Dès le mois de mai, le correspondant de Milan écrit : « Le cardinal d'Aragon... va à la Cour du Roi Catholique pour examiner la libération du duc de Calabre son cousin, prisonnier dans un château de Castille. » Les espions ont su quelque chose.

En tout cas, on quitte Middelbourg le 22 au matin ; on fait la traversée à Flessingue, on traverse les fleuves, on arrive à Rotterdam, la « patrie d'Érasme, ce grand savant », puis à Delft, et le 23 — l'équipage va vite — à La Haye, où « se trouvent les plus belles femmes de Flandre ». Puis on zigzague un peu ; on longe les fleuves, de nouveau Rotterdam avec tous ses navires et Bréda, où l'on découvre dans les arbres ce que le journal nomme des héronnières *(nidi di ayroni)*, où nous sommes bien tentés de voir plutôt des cigognes, puisqu'on nous dit que les oiseaux partent l'hiver et reviennent au printemps.

Maintenant qu'on s'est acquitté des devoirs officiels — et peut-être débarrassé des illusions politiques —, on vaque aux choses sérieuses, c'est-à-dire au plaisir de voir, d'observer, de comprendre. On retourne dans toutes les villes où l'on était passé trop vite. D'abord à Malines chez la princesse Marguerite. Bonne demeure sans grande apparence mais avec une bibliothèque spécialement faite pour les dames : livres en français sous reliure de velours avec fermoirs d'argent doré. Puis à Bruxelles où le palais du Roi Catholique, qui fut d'abord celui de Philippe le Beau, son père († 1506), comporte une grande salle pour tournois en cas de mauvais temps et, près du jardin en labyrinthe, un court de tennis en contrebas d'un mur élevé. On y voit surtout le palais du comte de Nassau, élégant et vaste « dans le style allemand ». Les lambris mériteront qu'on en reparle. La collection de peintures est importante. Et c'est ici que nous voyons mentionner les premiers maîtres du Nord, dans des termes qui n'ont été bien compris que récemment :

> « Entre autres un *Hercule avec Déjanire* [le tableau de Mabuse, 1516], figures de grand format, d'un *Jugement de Pâris* avec les trois déesses parfaites, et d'autres tableaux aux thèmes bizarres, où les mers, les cieux, les bois, la campagne sont représentés avec des figures qui sortent de coquilles, d'autres qui défèquent, des grues, des hommes et femmes, blancs et noirs, dans toutes sortes d'attitudes et de gestes, oiseaux, animaux de toute

> sorte, rendus avec grande force naturaliste, objets si drôles et fantastiques qu'on ne peut en faire la description à qui ne les a vus. »

Qu'est-ce que tout cela ? La collection de Nassau, comme d'ailleurs celle de Marguerite d'Autriche, dont les inventaires ont été retrouvés, contenait exclusivement des tableaux de maîtres du Nord. On citait rarement les noms des artistes. Mais on n'a pas de peine à reconnaître un Gossaert et — comme l'observation vient d'en être judicieusement faite — le fameux triptyque des *Délices Terrestres* de Jérôme Bosch. Ceci est d'une importance extrême. Nous sommes en 1517 : non seulement Bosch n'est pas le peintre un peu fou, hérétique, « maudit », qu'on a voulu décrire, mais il travaille pour les Grands. Il est entré dans leurs collections. Il est apprécié. On le montre aux visiteurs de marque. On s'étonne et on admire.

Le palais de Nassau est un lieu à surprises. Tout cela amuse beaucoup Monseigneur et son scribe. Dans les chambres il y a des portes cachées par des sculptures. Mais le clou est le lit géant, 34 « cannes » sur 26 (la *canne* vaut de huit à dix empans et l'empan à peu près 24 centimètres), une belle structure avec draps et couvre-pied blanc. Explication ? « Le duc aime donner de grands banquets et voir ses hôtes ivres ; quand ils ne tenaient plus debout, il les faisait jeter sur le lit. » D'où la taille exceptionnelle. Tels sont les plaisirs en

Europe du Nord. Aucun commentaire d'Antonio de Beatis. L'information se suffit à elle-même. Nous pouvons la recouper avec le *Journal* de Dürer aux Pays-Bas : fin août 1520, il a visité Bruxelles, et en particulier « le palais de Nassau, où j'ai vu dans la chapelle le beau tableau de maître Hugues (Hugo van der Goes), et les deux grandes belles salles avec les objets précieux de la maison et le grand lit dans lequel cinquante personnes peuvent coucher à la fois ». Rien sur Gossaert et Bosch.

Le pays flamand est un terrain de choix pour l'amateur d'art. Des visites attentives s'imposent, et l'*Itinerario* s'enrichit de remarques exceptionnellement utiles pour l'avenir, c'est-à-dire pour nous. Il est clair que le cardinal n'entend manquer aucun des chefs-d'œuvre célèbres. Le Journal nous livre ainsi un état précis des points forts de la culture et des valeurs modernes. On va en avoir deux belles preuves coup sur coup. Il se trompe si peu aux Pays-Bas qu'on se demande avec curiosité ce qu'il dira une fois en France. Ce témoin attentif et sûr commence à intriguer.

Le 30 juillet, c'est Raphaël :

> « Le Pape Léon fait faire des tapisseries *(panni de razza)* tissées pour l'essentiel de soie et d'or ; le prix en est de deux mille ducats d'or la pièce. Nous sommes allés voir le travail à l'atelier ; la pièce où est montrée la *Remise des Clefs à saint Pierre,* qui est magnifique, se trouve terminée. Monseigneur a déclaré que ce

> serait un des chefs-d'œuvre de la chrétienté. »

Ce sont là, on nous en informe, des œuvres de grand luxe destinées à la chapelle de Sixte au Palais apostolique de Rome. Le cardinal aura donc à son retour de bonnes nouvelles à donner au pape de l'ouvrage gigantesque et somptueux qui se tisse à Bruxelles chez Peter van Aelts. Nous apprenons ainsi que la *Remise des Clefs,* l'une des plus équilibrées des compositions, était déjà prête au printemps de 1517. La commande avait été passée l'année précédente, les somptueux cartons de Raphaël (conservés aujourd'hui par le Musée Victoria et Albert à Londres) avaient fait sensation. Il était passionnant de voir la grande technique flamande au service de Rome.

Le 1er août, c'est l'*Agneau mystique* des Van Eyck. Comme d'ordinaire, Monseigneur a grimpé — par un escalier à vis de trois cents marches — au sommet d'une tour qui lui a permis d'observer l'originalité de Gand, avec ses prairies *intra muros,* ses rivières et ses quais. On s'est rendu à la cathédrale : elle est dédiée à saint Jean (plus tard à saint Bavon). Le chœur, spacieux, s'élève au-dessus d'une crypte ; il y a de nombreuses chapelles rayonnantes, et dans l'une d'elles un retable fameux entre tous, ainsi décrit :

> « Aux deux extrémités, deux figures nues presque de grandeur naturelle, Adam à droite, Ève à gauche, peints à l'huile avec une vérité si parfaite dans les

proportions, les chairs et les ombres, qu'on peut le déclarer le plus beau panneau peint de la chrétienté. D'après les chanoines, c'est l'œuvre d'un maître de la Haute-Allemagne appelé Robert, il y a un siècle, et on dirait qu'ils viennent de sortir de la main du peintre. Le sujet du panneau est l'Assomption ; la mort ayant empêché le dit maître de le terminer, il fut achevé par son frère qui était aussi un grand peintre. »

La prairie, avec ses groupes compacts de juges, de saints convergeant vers l'Agneau, sous la cour céleste, a dû être regardée un peu vite ; les visiteurs italiens ont évidemment été impressionnés par les deux grands-parents de l'humanité ; l'explication du thème leur a été mal exposée, et la note synthétique l'a enregistré comme « l'Ascension de la Vierge » *(l'Ascencione de la Madonna).* Hubert est devenu Robert, en recopiant. Mais la part des deux peintres est correctement indiquée d'après les dires des chanoines. L'affirmation qu'il s'agit là du chef-d'œuvre de la peinture dans la chrétienté *(la più bella opera de' Christiani)* ne sonne pas, pour une fois, comme une phrase banale ; elle traduit peut-être la forte impression devant une œuvre d'une puissance exceptionnelle. Tout cela invite à faire de Luigi un connaisseur, ou, en tout cas, à considérer ces Italiens comme des amateurs assez bien informés ; ils nous ont fourni depuis le début du voyage un choix exceptionnel d'ouvrages à visiter. Faut-il le souligner ? On ne trouve aucun témoignage de cette nature dans les écrits contemporains.

L'un des traits les plus constants du texte est l'attention portée à l'architecture et l'attitude presque toujours favorable, sinon élogieuse, envers les réalisations de ce que nous appelons le gothique. Ainsi, l'hôtel de ville de Louvain sur sa grand-place est ce qu'on a vu de plus beau, avec son décor sculpté de rinceaux délicats qui courent sur la façade « avec un art accompli, les panneaux sculptés étant placés les uns au-dessus des autres, selon le style de ces pays ». Voilà un Italien qui enregistre sans aucune espèce de surprise et moins encore d'indignation, l'originalité et le foisonnement du « flamboyant ». Il n'a pas dû lire les théoriciens florentins de la *maniera italiana* qui condamnaient l'art barbare des Goths. En tout cas, il ne tient pas compte de leurs critères ; ou, plus précisément, se trouvant en pays étranger, il adopte immédiatement ceux qui y sont en usage.

Le vocabulaire, s'il n'est pas technique, reste pauvre ; Notre-Dame d'Anvers paraît *una ecclesia bellissima* et sa tour vaut celle de Strasbourg. La Flandre est remarquable par les couvertures d'ardoise, les carillons, les lutrins. Et comme les maisons sont propres, les ménagères bien attifées avec leurs jupons superposés, comme la rue est joyeuse et la piété exemplaire !

IV

Intermède britannique manqué

S'il avait manqué l'empereur Maximilien à Worms, Luigi avait du moins rencontré, salué et probablement informé des affaires de Naples le prince Charles devenu Roi Catholique depuis l'année précédente et qu'attendait un si grand destin. Deux autres princes comptaient, pour le moment, davantage : Henri VIII et le roi de France. Henri avait épousé en 1509 Catherine d'Aragon, la fille de Ferdinand et d'Isabelle d'Espagne, donc une cousine éloignée du cardinal (celle-là même que Henri prendrait en 1533 la décision fatale de répudier). Tout était prêt, semble-t-il, pour la traversée. On s'était présenté au *deputy* de Calais, Richard Wingfield, un puissant personnage doté d'une belle garnison (« une troupe d'hommes si grands, si superbes — écrit Antonio de Beatis — qu'on peut imaginer aussitôt de quoi ont l'air les Anglais »). On devait embarquer le 7 ou le 8 août au matin, quand Sir Richard informa Monseigneur qu'une épidémie de suette sévissait sur Londres. Résultat immédiat : « Sa Révérence annula son départ et décida d'aller rendre visite au Roi Très Chrétien à Rouen. »

Ce n'était pas une décision aussi cavalière qu'on pourrait croire. Car les mouvements et les intentions du cardinal d'Aragon inquiétaient sérieusement les autorités britanniques, et très précisément le cardinal Wolsey et son agent aux Pays-Bas, Sir Thomas Spinelly. John Hale a montré clairement que la visite de Luigi, certainement destinée à plaider en faveur des Aragonais, était parfaitement inopportune. On ne savait pas très bien ce qu'il avait négocié avec Charles de Habsbourg ; ne venait-il pas de remettre le chapeau rouge à un neveu de Monseigneur de Chièvres, le jeune cardinal de Croÿ, ce qui ne plaisait pas trop ?

Il y eut ainsi, derrière le dos de Luigi, un échange de correspondance relevant moins de la diplomatie que de l'espionnage. Les rapports contiennent des indications importantes à verser au dossier du personnage. « On ne sait pas très bien dans quelles conditions ce cardinal a quitté Rome, ni l'état de ses relations avec Sa Sainteté. » Il a l'air d'un seigneur temporel plutôt que d'un homme d'Église, et, conclut astucieusement l'informateur, Sir Thomas Spinelly, « connaissant la renommée de libéralité de notre Roi [Henri], sa visite peut être motivée par l'espoir de quelque bénéfice ».

C'est sans doute là ce qu'il faut retenir de l'épisode. Ce cardinal mondain, on ne sait pas très bien ce qu'il veut ni ce qu'il est. Il échappe aux normes. Les représentants de Wolsey firent de leur mieux pour l'éloigner. Fut-il dupe ? Il est permis de n'en rien croire. Car, arrivé à Rouen le 13 août, il envoya Antonio Scaglione, son maître d'hôtel, pour renouveler ses regrets, en précisant que le cardinal — qui devait se rendre en Espagne — venait d'être rappelé à Rome. Il n'y avait là manifestement rien de vrai, sinon le plaisir de tromper les observateurs. Wingfield transmit l'information à Londres. Scaglione expliqua en outre qu'il souhaitait aller en Angleterre (on avait oublié l'épidémie) pour acheter des lévriers et des chevaux. Le cardinal savait s'y prendre. De retour à Rome, sept mois plus tard, il ne manqua pas d'envoyer au roi Henri des lettres officielles où il renouvelait ses excuses et protestait de son dévouement. Mais quel dommage que nous n'ayions pas eu le chapitre de l'*Itinerario* qui aurait décrit, même superficiellement, les types, les mouvements, les mœurs de l'Angleterre des Tudor, la Tour et les ruelles archaïques de Londres et un portrait en pied de Henri à comparer avec les effigies impressionnantes de Holbein !

Le 5 août, « à la portée d'une arbalète de Gravelines et non loin de la mer, nous avons traversé en barque une rivière de largeur moyenne ; on ne la traverse à gué qu'à marée basse. Elle sépare la Flandre de la Picardie, qui est sous l'autorité du roi d'Angleterre jusqu'à Calais, et sa juridiction s'étend jusqu'à Tournai car, allié à l'Empereur, il a enlevé cette ville aux Français la première année du Pontificat de Léon ». En 1513 avait eu lieu la lamentable bataille des Éperons, où la conjonction Henri VIII-Maximilien avait réussi, sur le dos du pauvre Louis XII, chassé d'Italie, une opération avantageuse, puisque la déconfiture des chevaliers français avait permis à Henri d'occuper Tournai. La position militaire anglaise à Calais en avait été sérieusement consolidée. Cette allusion à une guerre récente et à une situation tendue entre la France et l'Angleterre n'était peut-être pas sans rapport avec l'abandon du voyage à Londres.

Répétons-le, la tournée du cardinal avait vraiment lieu au bon moment. A quelques situations locales près — cette affaire de Tournai, la rébellion de Charles d'Egmont au nord du Rhin, qui explique les détours du circuit en Zélande —, l'Occident était en paix, ce qu'on n'avait pas vu depuis longtemps. Les Français, de nouveau installés en Lombardie depuis Marignan, s'étaient mis d'accord avec le pape. Les puissances n'appréciaient pas cette position dominante de François Ier, le pape lui-même se méfiait beaucoup de ce prince qui poussait à une Église nationale « gallicane », sous sa juridiction. Mais les routes étaient sûres. Une seule fois, avant Augsbourg, il avait fallu une escorte « à cause des brigands ». Une seule fois, on devait rencontrer des troupes ; c'était à Avignon, où venait de rentrer le contingent gascon prêté à Léon X pour installer son neveu à Urbino. Dans cette année calme et bien choisie, l'humeur agréable et confiante des voyageurs que reflète l'*Itinerario* n'est pas seulement le fait d'un riche prélat fastueusement accueilli ; elle répond aussi, dans une certaine mesure, à l'attitude de toute une population provisoirement sans inquiétude.

On circulait bien. La France n'était pas privée de routes. On a parfois dit qu'elles étaient mauvaises ; même Lucien Febvre semble abonder dans ce sens. Fort inégales, certes, selon les provinces et les saisons, mais en général fort praticables quand on songe aux innombrables voyageurs qui les parcouraient en tous sens et sans accidents notables. L'*Itinerario* ne mentionne rien des habituels malheurs de la route : fondrières, ponts rompus, zones dangereuses. Le cardinal voyageait sans doute dans des conditions assez exceptionnelles et le moment était favorable, mais l'état des routes y était bien aussi pour quelque chose. L'*Itinerario* indique quelques passages difficiles : à l'Estérel, par exemple, ou la traversée à gué du Var, inattendue pour la saison avancée. Il aurait aussi bien fait état des anicroches.

Nous possédons d'ailleurs un ouvrage ancien qui permet de contrôler les itinéraires de la troupe romaine. C'est le charmant et sobre petit livre intitulé *La Guide* (au féminin comme chez Rabelais) des *Chemins de France* par Charles Estienne, paru à Paris en 1552. Cet érudit, membre d'une grande famille d'imprimeurs, avait rassemblé tous les renseignements possibles sur le réseau français et même sur les gîtes qu'on y trouvait. L'ouvrage, très simple, énumérait les étapes d'une cité à l'autre ; il eut tant de succès que l'auteur le réédita presque aussitôt en le complétant par un guide des pèlerinages : Terre Sainte, Espagne, Italie, et des fleuves du royaume de France. Après plus de trente ans, beaucoup de choses avaient pu changer, mais plutôt en pire du fait des guerres avec l'empire dans l'est du pays et en Provence. A la date du voyage du cardinal, la France n'avait pas connu de batailles ni de destructions depuis les guerres anglaises, de lointain souvenir. Le calme et l'activité qui règnent partout supposent un beau réseau routier et un état satisfaisant des chemins. Les lieux d'étape mentionnés par Antonio de Beatis, se retrouvent régulièrement par la suite et, en particulier, dans *La Guide.* Nous sommes bien au début de la littérature des voyages.

En tout cas, tout au long de l'*Itinerario,* peu d'incidents sont mentionnés : un vol, des colis mal emballés. Et une surprise en arrivant à Pont-de-l'Arche, après l'étape de Rouen. On regardait avec plaisir les petites îles de la Seine avant de traverser le fleuve en barque. Et là :

> « Nous y avons trouvé le valet de don Alvaro Osorio, Alonso avec un jeune page français apportant des lettres de Don Alvaro. Nous étions sans nouvelles de lui depuis trois mois que nous avions quitté

Innsbruck, où il était resté, malade, avec ce page ; et tous pensaient qu'il devait être mort dans quelque bois avec ses compagnons. »

C'est la première fois qu'est mentionné ce compagnon au nom espagnol laissé en route. On peut trouver la remarque qui le concerne un peu cavalière, ou plutôt marquée d'humour de cavalier. Mais rien dans cette boutade ne concerne les routes et l'insécurité.

V

La Cour de François Ier, Paris et les châteaux français

Le Journal a noté avec déplaisir le mauvais temps qui régnait aux Pays-Bas : pluie et vent ; juillet et août y ressemblent au novembre romain. Le royaume de France — où l'on entre le 8 août — n'offrira aucun contretemps. Ce fut, au total, un bel été ; le Rhône début novembre est très bas à Pont-Saint-Esprit et à Avignon. A la fin du mois, pour gagner la Sainte-Baume, on ne trouvera qu'un peu de neige. C'est en Italie, un mois plus tard, qu'il faudra traverser le Pô à moitié gelé.

En France, il fait bon, en somme, et l'on va être bien traité par les princes de l'Église et par les amis. Du début à la fin, tout se passe entre gens du monde, dans de belles demeures ; avec seulement quelques séjours à l'auberge qui seront, comme il convient, sérieusement commentés.

A peine entrait-il à Abbeville qu'Aloysius eut la joie de voir arriver Ludovico Canossa (1470-1532) à sa rencontre. Un ami, un membre du cercle romain de Castiglione, qui a fait de lui l'un des interlocuteurs du *Livre du Courtisan*; c'est dire l'autorité du personnage, qu'on peut imaginer infiniment « chic » et aimable. La faveur de François Ier l'avait fait nommer nonce et évêque de Lisieux dès 1516. Voici donc un ecclésiastique-diplomate formé au « monde » pour initier le cardinal aux choses de France.

Il faut aller droit au but, c'est-à-dire saluer dès que possible le Roi Très Chrétien, tout jeune lui aussi dans le métier, mais auréolé du triomphe, bien orchestré en France, de Marignan. La réception a lieu deux jours plus tard, le 14 août, à Rouen. Luigi est accompagné du maréchal de Lautrec, gouverneur du Milanais, du grand écuyer, qui n'était autre que le condottiere lombard Trivulce, et du comte de Laval, gouverneur de Bretagne, un cousin par alliance de Luigi, dont on va reparler à Rennes. Il est permis de supposer que la suite du voyage et le « tour de France » du cardinal fut débattu avec ces brillants collègues; amitiés, parentages aident à comprendre les mouvements un peu sinueux de l'Aragonais à travers le pays, obéissant à de nouvelles préoccupations qui ne se dévoileront que peu à peu.

Tout se passe selon les règles protocolaires. Réception et entretien privé avec François Ier, qui loge dans le grand archevêché. Ensuite, on va présenter ses devoirs à la reine. Celle-ci, Claude, qui n'a pas vingt ans, est là, « très jeune mais petite, laide, boitant des deux côtés, très vertueuse, pieuse et charitable, à ce qu'on dit ». Auprès d'elle — car il s'agit d'une réception officielle —, la reine-mère, « très grande, encore belle de teint, très vive et rubiconde », elle fait manifestement grande impression sur les Italiens ; Louise de Savoie se trouve d'ailleurs en compagnie de sa sœur Philiberte, la jeune veuve qui avait épousé Julien de Médicis, le frère de Léon X, devenu duc de Nemours et mort en 1516 (c'est lui qu'évoquera le *penseroso* de la chapelle funèbre de Michel-Ange à Florence).

Comme c'est la fête de l'Assomption, Luigi assiste à la guérison des scrofules. Le lendemain, nouvelle visite, déjeuner, suivi de tennis — une grande partie ! —, un souper soigné, et enfin bal, « où le Roi Très Chrétien dansa ». Aloysius a dû prendre part à la danse, mais Antonio de Beatis ne nous l'a pas dit. Pourquoi le roi était-il à Rouen ? Faisant, en jeune vainqueur, le tour de son royaume, il se préparait officiellement à visiter « son duché de Bretagne », mais quelque difficulté dut surgir. On changeait vite d'idée. Le 18 août, la Cour remontait la Seine jusqu'à Gaillon et se dirigeait vers Moulins, où le cardinal ne la suivit pas. La Cour était ambulante (nous sommes dans la phase où la notion de Paris-capitale est toute théorique).

En un mois, Luigi a donc rencontré les deux jeunes princes, Charles et François, qui allaient pendant trente ans déchirer l'Occident. Il les a bien regardés, mais le Journal ne révèle pas ce qu'il en a pensé. Qu'en est-il de François ?

« Le roi est très grand, avec de beaux traits, les façons agréables et engageantes, très plaisant à voir malgré son grand nez et, d'après le jugement général et en particulier celui de Monseigneur notre illustre maître, des jambes trop faibles pour un si grand corps. »

Deux points de son comportement sont relevés :

« François est adonné au plaisir, entre volontiers dans le jardin d'autrui et boit à diverses sources, mais il traite la reine son épouse avec honneur et respect, ne manquant jamais, quand il se trouve en France, de dormir la nuit avec elle. C'est ce qu'on raconte partout. »

Les Napolitains ne dédaignent pas les potins de la Cour. Autre trait capital, qui cette fois rapproche François des passions romaines : « Il aime éperdument la chasse et surtout forcer les cerfs. » On en fera l'expérience deux jours plus tard dans le grand parc de Gaillon, mais un peu trop tard dans la journée et sans bons résultats.

Ce portrait de François, tracé un peu vite, ne prétend pas être l'analyse d'une figure royale. Mais la stature aide le prestige. Nous apprenons comment on regardait les Grands de ce monde, ceux dans les mains de qui tant de force était concentrée. Luigi, à en croire le ton toujours sobre du secrétaire, ne fut pas déçu. Mais, par une chance assez appréciable à une époque où l'analyse des physionomies n'est jamais très détaillée – du moins dans les textes –, un autre témoignage, très proche par la date, recoupe celui du cardinal.

Au printemps de 1520 eut lieu l'entrevue ou plutôt la double parade du Camp du Drap d'Or. Calais étant terre anglaise, Henri VIII n'eut pas grand route à faire pour rencontrer son cousin français au camp provisoire de Guines. L'un de ses gentilshommes, Sir Robert Wingfield, fait partie d'un petit groupe anglais admis, selon l'usage, dans la tente de François en train de s'habiller. Un garde de Robert Wingfield – un Gallois agissant probablement sur instruction d'Henri – a tout noté et même, chose étrange, rédigé ses souvenirs. Il a observé de son mieux les va-et-vient du roi qui passait ses vêtements de chasse « au vu de tous ». Ses notes sont d'une rare précision et non dépourvues de malice : cinq pieds de haut, cheveux et barbe châtains, teint blanchâtre, beau long nez, épaules larges soulignées par le style des vêtements, torse superbe, mais « les deux jambes sont très maigres en proportion du corps [...], un peu déformées au-dessus des pieds ». Le Gallois note aussi les pieds plats et une curieuse manière de rouler les yeux « en montrant le blanc plus souvent qu'il ne faudrait ». Nous n'avons trouvé cette indication nulle part ailleurs. Elle a été mentionnée dans le beau livre de R. Knecht sur François Ier.

Ces jambes un peu faibles et un peu tortes du beau roi intéressaient au plus haut point les contemporains. Il y a toute une littérature à leur sujet. L'orateur Pasqualigo, par exemple, rendant visite à Henri VIII, était interrogé par celui-ci sur la taille, la force physique de François : « Comment sont ses jambes ? » Tout le monde fut fixé quand les deux princes, en 1520 précisément, eurent l'idée — saugrenue, mais typique de leur vitalité orgueilleuse — de faire une démonstration de lutte à mains plates, qui laissa Henri ulcéré pour toujours. Mais le roi ne diffère pas des seigneurs français : tous ont des jambes médiocres, si l'on en croit Montaigne beaucoup plus tard : « Torquato Tasso, en la comparaison qu'il fait de la France à l'Italie, dit avoir remarqué cela, que nous avons les jambes plus grailes que les gentilshommes italiens, et en attribue la cause à ce que nous sommes continuellement à cheval » (*Essais,* III, 11).

On a donc rendu visite au roi et à sa reine, à la reine-mère. Il manque une autre dame : Marguerite, la sœur aînée du roi. Elle était absente. C'est dommage : on aurait eu plaisir à voir, fût-ce en trois lignes, sa silhouette dessinée dans le journal de voyage. Le cardinal n'aurait pas manqué de percevoir l'autorité et l'intelligence de la sœur aînée (née en 1492), qui était depuis huit ans duchesse d'Alençon et dont l'intelligence vive et inquiète allait faire une des grandes figures du règne.

Ce tableau de la Cour du prince Valois peut aujourd'hui paraître un peu sommaire ; on aurait voulu que l'attention se portât plus longtemps sur les personnages et ne négligeât pas les comparses, comme une caméra qui s'attarde sur les visages souriants ou fermés, sur les costumes ourlés de vair, garnis de soie, sur les attitudes — humble, grave ou fière —, tous détails faciles à isoler dans un tel milieu comme de petites scènes, voire de petits drames miniatures. Mais nous ne sommes pas au temps de Saint-Simon, le genre du « portrait psychologique » n'existe pas encore. Luigi est lui-même un prince et, ne l'oublions pas, dans sa pensée comme dans celle de certains observateurs, l'héritier possible d'un grand royaume. Une fois reconnues et saluées les têtes du royaume, il n'a pas à s'attarder aux figures relativement secondaires ; elles sont signalées dans la mesure où elles honorent sa venue, servent ses desseins, participent à son voyage.

On a même, en un sens, l'impression que dans cette Cour fameuse, il n'y a finalement pas tellement de monde. Ou, plus exactement, elle n'est pas encore très nombreuse. Elle est toujours en mouvement. Compte tenu du personnel, des services, cela fait certes une belle troupe, avec cavalerie, fourgons, etc. Beaucoup plus tard, une tapisserie sur dessin d'Antoine Caron montre le « train » d'une visite princière à Anet (1573). C'est un peu comme cela que nous pouvons imaginer la « maison » du roi François sur les routes. Mais enfin, il s'agit encore d'une Cour assez réduite. Ce n'est pas l'établissement gigantesque de Louis XIV qui exigera Versailles, nous sommes au temps de la Cour ambulante des

Valois, que peut héberger un archevêché ou un château de bonne taille et où les figures essentielles se comptent sur les doigts d'une main. De ce point de vue, le *Diario* nous laisse sur une impression intéressante de la dimension réelle des choses.

Le caractère relativement simple de l'entrevue rappelle qu'en 1517 nous sommes tout au début du règne de François Ier ; les événements se sont précipités. En 1510-1512, il n'était pas dit que le roi Louis XII et sa reine Anne n'auraient pas d'héritier mâle. Les deux fils qu'Anne de Bretagne avait eus de Charles VIII avaient leur sépulture moderne de marbre à Tours, où — chose curieuse et regrettable — Monseigneur d'Aragon, ayant d'autres intérêts en tête, n'eut pas la curiosité d'aller voir, quand il a traversé la ville en octobre. L'infirme et sympathique Claude de France, née en 1494 du couple royal, n'avait été donnée à François d'Angoulême qu'en 1514, quand il apparut que celui-ci, faute d'héritier direct du roi Louis, pouvait monter sur le trône. Ces calculs, ces reports de légitimité, si l'on peut dire, devaient être particulièrement présents à l'esprit d'Aloysius, expert en ces matières pour sa propre maison. Aussi a-t-il bien perçu l'importance de la reine mère, Louise de Savoie.

Le *journal* de celle-ci a fixé quelques dates seulement de l'ascension de son fils : elle était veuve depuis vingt ans, exactement depuis 1498. Son mari, Charles d'Angoulême, lui avait été donné par sa tante Beaujeu, comme pour se débarrasser d'elle. Ses enfants, Marguerite et François, avaient grandi à Cognac, où il y avait des poètes, des enlumineurs, des musiciens ; quelque chose, malgré les dimensions provinciales, de très différent de la Cour terne de Louis XII. Louise croyait à l'avenir ; un ermite calabrais — dont Luigi n'oubliera pas d'aller saluer la tombe — avait annoncé que son fils aurait un destin « national ». Et après 1512, le sort commença à ouvrir au « gros garçon » qu'était alors François et que Louis XII n'aimait guère, la perspective inespérée d'un avènement au plus beau trône de la chrétienté. Louis XII mort le 1er janvier 1515 et François installé au pouvoir — en forçant un peu les procédures normales, car il n'était pas Dauphin —, tout était transformé, tout changeait de sens. C'était la règle : la figure, le tempérament du prince donnent le ton à la Cour, à la noblesse et même à la nation tout entière.

C'était, on l'a dit et redit avec raison, l'avènement de la jeunesse, de l'impatience, de l'ambition, avec quelque chose d'inhabituel qu'a bien relevé naguère Lucien Febvre : François appartient à la catégorie des « nouveaux rois », ceux dont la légitimité tient à une lignée « indirecte », « à la mode coutumière des hommes qui se font eux-mêmes, il a la main large, les conceptions hardies, l'audace sans grands scrupules, l'optimisme imprudent de la réussite... ». En cet été de 1517, où en sommes-nous ? François a réalisé à Marignan son rêve de lecteur de romans d'aventure : une bataille, une victoire. Il a négocié avec le pape Léon X à Bologne, où Luigi était certainement présent. Le roi François est dans l'excitation sportive de ses vingt ans. Mais à part la conquête du Milanais — qui ne durera pas dix ans — et le nouveau concordat — qui n'est pas approuvé par tout le monde —, la figure du règne est à peine esquissée. Le grand style de fête courtoise, libre et galante où François va entraîner toute une génération, ne s'est pas encore affirmé : chasses, danses..., bien sûr, tout ce dont on avait manqué sous le cousin Louis XII. Mais on reste dans le cercle habituel de la Loire : Amboise, Blois, et même Romorantin, où réside souvent la reine mère. Léonard de Vinci n'était-il pas chargé de concevoir un château nouveau, moderne, pour elle ? Fontainebleau, c'est dix ans plus tard qu'on y songera.

Les unes après les autres, presque toutes les figures importantes du pays apparaissent dans le *Diario*. Trop furtivement, bien sûr. A Gaillon, Luigi rencontre Adrien Gouffier sire de Boisy et Monseigneur de Lautrec — c'est-à-dire Odet de Foix —, qui a été de toutes les équipées ; François l'a fait, dès son avènement, maréchal de France en même temps que La Palisse, le sieur de Chabannes, bien connu comme capitaine sinon comme homme d'esprit (l'*Itinerario* l'évoque dans la petite ville du Centre dont il avait pris nom). Il y a à ce tableau une exception de pure malchance.

« Le 18 août, dit l'*Itinerario,* le Roi très chrétien fit quatre lieues à cheval loin de

Rouen pour forcer le cerf et d'autres genres de chasses ; ensuite, toujours chassant, il descendit vers les vallées de Moulins, terre de Monseigneur de Bourbon pour assister au baptême d'un fils qui venait de naître à celui-ci. Mais mon illustre maître ne put partir avec Sa Majesté, comme il le souhaitait, pour avoir été invité, car la nuit il eut l'attaque de goutte aux deux pieds qui allait le retenir quinze jours... »

Une grande partie de chasse manquée, mais surtout l'occasion perdue de rencontrer le Connétable de Bourbon. Quel dommage ! Nous aurions eu, sous la plume d'Antonio de Beatis qui aurait certainement accompagné son maître, un portrait de ce grand capitaine, qui avait gagné la partie à Marignan, à peine plus âgé que son cousin François, comblé d'honneurs et, au surplus, fils d'une princesse Gonzague et donc parent d'Isabelle d'Este. Même en trois lignes, on donnerait beaucoup pour avoir un portrait de ce personnage — resté finalement assez mystérieux — dix ans avant le sac de Rome. En 1517, il était plus que jamais le brillant second du roi.

Le cardinal ne va donc pas pouvoir suivre la Cour à Moulins, et l'itinéraire devra être modifié. Cet accident de santé eut précisément lieu à Rouen. Bien entendu, il s'agit de la goutte. Luigi n'est plus très jeune ; c'est un grand amateur de bonne cuisine ; et il a la même infirmité que son patron Léon X. La seconde crise sérieuse de goutte, l'obligeant à l'immobilité, n'est signalée qu'à Ferrare ; le voyage se termina sur « vingt jours de podagre ». Payait-il ainsi les fatigues et les excès de table de ces dix mois ? Le fait est qu'un an plus tard, il n'était plus de ce monde.

Les Italiens ne se déplaisaient pas à Rouen, « belle ville avec ses maisons à pans de bois », où l'on boit — apprenons-nous — un excellent vin rouge. Mais ce furent quinze jours passés « dans les douleurs et l'ennui ». Quand on reprit la route de Paris, le cardinal était « en litière ». On retrouva la Cour à Gaillon, étape capitale qui permit de regarder de près ce qui était alors le château seigneurial français le plus fameux de l'Occident. Cela oblige à ouvrir le dossier des demeures nobles visitées par les Italiens. On se sépara ensuite définitivement du roi, des reines et de la foule des officiers et des seigneurs. Par petites étapes on se rendit à Paris, qui allait être visité, de l'aveu même d'Antonio de Beatis, un peu vite.

Peut-être le cardinal n'est-il pas encore parfaitement rétabli. Les notations s'en ressentent : on se contente de répéter les guides *(stando a relazioni)*. Les voyageurs ont fait le tour de la Cité, car le Journal contient une entrée importante sur le Palais, la Sainte-Chapelle et ses reliques, suivie deux jours plus tard par une visite assez détaillée à Saint-Denis et à ses tombeaux. Les hauts lieux de la monarchie française sont prioritaires. Mais on est surpris, un peu déçu de la notation dédaigneuse sur Notre-Dame de Paris : « Grande mais pas très belle. » Le sanctuaire après son achèvement au début du XIVe siècle avait été, comme tant d'églises cathédrales, garni et bientôt encombré de quantité de pièces d'orfèvrerie, d'ornements et de statues : un Philippe le Bel à cheval (statue de bois) au début du XVIe siècle, le colosse de saint Christophe, à l'entrée, au début du XVe siècle. Mais enfin, il y avait les « roses » du transept, dont les vitraux colorent l'intérieur, et l'admirable abside aux longs arcs-boutants, mais les auteurs n'en parlent jamais. De fait l'*Itinerarium* de Münzer cite avec admiration le paysage de la Seine, le bel appareillage de pierre et même les belles « colonnes circulaires », les « 28 images royales » de la façade et date même le tout de « 242 ans » ; il est en cela, vingt-trois ans avant, plus judicieux que le chanoine de Beatis. En fait, il n'y avait pas alors de grandes cérémonies dans la capitale. L'activité de la Cour se déroulait en province. C'est après le désastre de Pavie (1525) et la malheureuse captivité du roi que l'attention sera ramenée sur la capitale. La manière cavalière dont le cardinal l'a évoquée s'accorde avec cette phase de négligence royale.

La description du Palais de Justice est d'un intérêt particulier, parce que le cardinal l'a vu en pleine activité et en donne une analyse complète, à la différence du voyageur allemand qui n'y est pas allé voir.

« Dans le Palais il y a une Grand'salle — c'est son nom — avec une file de colonnes dans l'axe et tout autour des statues des rois de France jusqu'à Saint Louis ; ils tiennent des épées levées vers le haut pour ceux qui ont fait la guerre, la pointe en bas pour ceux qui ont régné pacifiquement sans guerre. Il y a dans cette salle un grand nombre de bancs là où l'on rend la justice ; on y vend des marchandises de toutes sortes, dès l'accès des escaliers encombrés de boutiques. Dans une autre salle aussi longue mais moins large, il y a un pourtour d'éventaires, où sont vendus les articles d'or et d'émail produits à Paris, toutes sortes de trouvailles et d'objets nouveaux le plus souvent en fil, une foule de joyaux et jolis ouvrages de mercerie.

« Il y a en outre la salle superbe où se tient le parlement. Il est difficile d'y accéder, mais notre maître y pénétra avec les ambassadeurs napolitains qui revenaient de visiter le Roi Catholique. [Ce sont ceux qui ont été signalés à Middelbourg.] Nous y entrâmes tous au moment de la séance du parlement, grâce à l'autorisation donnée à Gaillon par le Roi Très Chrétien à Sa Seigneurie et à l'un de ses gentilshommes afin, sur ordre royal, de tout laisser voir au dit Seigneur. Dans cette salle d'apparat se tenait le premier parlement qui comprend de nombreux prélats et gens d'Église. La salle a un plafond sculpté, en fort relief, d'un très beau travail et tout doré ; une foule de conseillers se trouvait à l'audience avec son ordonnance et un maintien d'une grande solennité. Toutefois, beaucoup d'entre eux se rendirent au-devant de Monseigneur, notre illustre maître, jusqu'à la grande salle. Il y avait trois autres réunions parlementaires distinctes et moins nombreuses dans d'autres pièces, d'un décor non moins riche. »

Cette description mériterait d'être mieux connue, avec tous ces détails sur le curieux arrangement des boutiques d'articles de Paris à côté des bancs où siègent les juges ; et plus loin les salles somptueuses du parlement, non seulement le cardinal a obtenu toutes les autorisations, mais on voit les conseillers abandonner leur séance pour venir les saluer. De Beatis n'est visiblement pas mécontent d'enregistrer cet hommage, d'autant plus que toute la troupe, *noi altri,* a pénétré dans ces lieux d'accès difficile. On a l'impression que cette visite aux organes gouvernementaux a été pour les visiteurs, avec le trésor des reliques de la Sainte-Chapelle, le grand moment du séjour à Paris.

La dévotion à la Sainte-Chapelle allait de soi, surtout quand on sait combien le cardinal était intéressé par les reliques et tenait à les examiner de près. L'attention portée au parlement de Paris et le souci de s'y faire voir, sont plus inattendus. Mais Luigi était, depuis deux pontificats, associé au gouvernement de Rome : il se devait de connaître les organismes du pouvoir dans la seule grande monarchie de l'Occident dotée d'un système savamment articulé, assez comparable à celui de la Curie. Il ne s'agissait pas seulement dans la Grand'salle d'enregistrer les lois, de traiter les cas exceptionnels de *lèse-majesté,* par exemple, mais aussi parfois de présenter au prince des remontrances, en protégeant certaines traditions menacées par de nouvelles lois. Il arrivait au parlement de se targuer d'une analogie flatteuse avec l'antique sénat de Rome, ce qui d'ailleurs, n'était pas pour plaire aux conseillers de François Ier comme Duprat.

Au cours des règnes précédents, toutes ces procédures avaient joué, les juristes français avaient accompli et continuaient à accomplir un gros travail de codification et de normalisation. Ils savaient fournir au roi les justifications juridiques éventuelles de ses entreprises. Les parlementaires pouvaient aussi élaborer de véritables traités de morale politique, comme l'avait fait précisément Claude de Seyssel, diplomate devenu évêque de Marseille, en publiant en 1515 pour le nouveau roi son étude *De la monarchie française,* une sorte de manuel institutionnel. Bref, la France était en train de devenir un centre de réflexion politique et un cardinal de Léon X ne pouvait que considérer avec une attention particulière tous les mécanismes gouvernementaux. La France était une très grande puissance. Le jeune roi avait démontré d'emblée sa capacité de décision, ses ambitions, le souci chaque année plus évident d'illustrer un grand règne. Le cardinal ne pouvait s'y tromper.

Cette visite attentive au siège du parlement cachait-elle quelque chose ? Pourquoi le roi s'était-il si volontiers entremis pour la faciliter au cardinal et pour l'imposer, semble-t-il, à un corps toujours un peu soupçonneux ? C'était le moment où François Ier s'efforçait d'obtenir l'enregistrement du concordat qui avait été négocié à Bologne avec Léon X en août 1516. Au mois de février 1517, un discours du chancelier du Prat et, en mai, les lettres patentes royales, avaient en vain fait pression sur les parlementaires qui, voulant ignorer les avantages manifestes qu'en retirait la monarchie française, se refusaient à sanctionner un concordat qui ne renouvelait pas la déclaration gallicane de la Pragmatique Sanction de Bourges formulée au XVe siècle, au temps du Grand Schisme.

Une rencontre avec les juristes parisiens obstinés avait donc pour Luigi un grand intérêt politique, car Rome s'inquiétait à juste titre, et ce fut seulement en mars 1519, que le parlement céda aux instances du prince.

On passe très vite sur l'Université, où l'on dénombrerait « trente mille étudiants, chiffre qui me paraît énorme », déclare avec raison De Beatis. Maisons de bois, rues boueuses et pleines de trafic, beaux paysages ; de multiples métiers d'une merveilleuse diversité. Les voyageurs ont recueilli en passant une information sur le monastère dit des Filles repenties, créé par Louis XII et dont les pensionnaires servent curieusement d'institutrices pour les demoiselles de Paris. Enfin, ils ont noté le nom de personnalités savantes importantes :

> « Jacques Lefèvre, savant dans toutes les branches du savoir grec et latin ; Guillaume Budé, conseiller du roi, légiste mais auteur d'écrits dans d'autres domaines ; et Guillaume Cop, médecin du Roi Très Chrétien, savant dans les deux langues classiques. On signale aussi le libraire Badius Ascensius, homme de grand savoir et de vie exemplaire. »

Voilà, du moins, un tableau net et sans faute, car qui d'autre, à cette date, méritait d'être nommé parmi les érudits ? L'*Itinerario* ne prétend pas que Monseigneur ou quelqu'un de la troupe est allé visiter ces figures distinguées ; simplement, on a enregistré les noms à retenir, comme on a mentionné à Rotterdam celui d'Érasme.

Lefèvre d'Étaples (*ca.* 1455-1536) était le théologien dont le rôle surtout auprès de Marguerite de Navarre, la sœur du roi, allait prendre de plus en plus d'importance. Budé (1465-1540) était connu en Italie ; chargé de la bibliothèque royale, il venait de publier un gros traité indigeste, *De Asse*, et préparait un éloge du prince, de l'autorité royale sous le titre l'*Institution du prince* (1519). C'est beaucoup plus tard qu'il organisera la bibliothèque de Fontainebleau. Mais il y avait sans doute une raison précise de le citer parmi les personnages dont on entendait parler. Avec Guillaume Cop (?-1532) fixé à Paris, Budé avait rédigé justement en février 1517 une lettre adressée à Érasme pour lui demander de venir à Paris, sur invitation du roi, et de dessiner les grandes lignes d'une nouvelle institution, le Collège des Trois Langues (grec, latin, hébreu), qui serait le haut lieu de l'enseignement classique et de la philosophie moderne, y compris l'étude scripturaire : le *Nouveau Testament* d'Érasme en était le modèle éclatant. C'était là l'une des toutes premières initiatives du jeune roi. Faite dans l'enthousiasme, même poliment, loyalement soutenue par Budé qui aurait pu se poser en concurrent du savant hollandais, l'invitation tourna court. Érasme se méfiait des princes brillants et légers. Dans les années qui suivirent, la conjoncture internationale fut de moins en moins favorable, et la résistance de la Sorbonne de plus en plus dommageable au projet. La création de ce qui allait être le Collège de France prit près de vingt ans.

Les voyageurs n'étaient donc pas si mal renseignés. De Beatis nota même le nom d'un grand libraire parisien qui ne peut être Henri Estienne, comme les précédents éditeurs l'ont pensé, mais Josse Bade Ascensius (d'Asche, près de Bruxelles), un Belge fixé à Paris où il tenait boutique depuis 1507 rue Saint-Jacques au quartier Latin. Il avait écrit un commentaire latin de la « *Nef des Fous* » de S. Brandt, qu'il avait publiée en français, en précisant que c'était à l'usage des dames. L'*Itinerario* ne nous dit pas si les voyageurs lui ont acheté des livres.

On peut s'étonner qu'aucun artiste français ne soit mentionné ni à Paris ni ailleurs. Les artisans français sont signalés avec intérêt un peu partout, en particulier à Paris : « [Sur le pont des orfèvres], long, je crois, de quelque cent pas, on travaille l'or et l'argent en quantité et en qualité mieux que partout ailleurs. » Mais aucun architecte, aucun sculpteur n'est nommé. Les grands tombeaux sont cités, non leurs auteurs. Ils n'étaient pas de « classe internationale » ; le portraitiste et miniaturiste d'Anne de Bretagne, Jean Bourdichon, ne compte pas, ni Perréal ou Michel Colombe. On observait alors en France une absence de grandes figures. Pour illustrer un texte célébrant la campagne de Lombardie en 1515, intitulé *La Guerre gallique* on a eu recours à un Néerlandais fixé à Paris dit Godefroy le Batave. Le même dessinateur qui accompagnera de médaillons descriptifs la *Vie de la Madeleine* commandée en 1518 après un pèlerinage à la Sainte-Baume que le cardinal d'Aragon allait faire à son tour. On fera venir, pour des portraits de caractère officiel, Jean Clouet et Joos van Cleve, des spécialistes du Nord.

Dans cette période de battement où le jeune roi et ses proches n'ont pas encore les moyens de réaliser leurs ambitions culturelles, le plus simple était d'appeler des Italiens. Dans l'enthousiasme de l'admiration, François Ier fit tout le possible pour amener Léonard de Vinci en France : c'était le nom que connaissaient depuis vingt ans les princes français. A Milan, après 1507, Léonard avait travaillé pour Charles d'Amboise. Son dernier protecteur, Julien de Médicis, duc de Nemours, venait de mourir en mars 1516. Malgré ses soixante-quatre ans, Léonard n'avait pas hésité à se mettre en route. Il était maintenant à Amboise. Luigi allait l'y rencontrer. Mais deux ans plus tard, le maître n'était plus.

Les liens des Français avec Florence étaient très forts. Deux tableaux d'Andrea del Sarto, artiste en pleine force (né en 1486) avaient été envoyés par des intermédiaires avisés à François Ier. Ils lui plurent et il fit inviter le peintre qui arriva au début de 1518, et travailla pour la Cour. L'étonnante *Charité* du Louvre est l'une de ces œuvres françaises. Mais les instances de sa femme ramenèrent vite le peintre à Florence, avec des provisions pour acquérir des toiles, ce dont il s'acquitta mal. Le roi furieux, devait écrire Vasari en 1550 « renonça pour un temps à faire venir des Florentins ». C'est seulement après 1530 qu'arrive à Fontainebleau le Rosso et qu'eut lieu un nouveau départ.

Après la pointe sur Paris, l'itinéraire va bifurquer avec décision vers l'ouest. Le voyage ne traîne pas. On quitte la ville le 12 septembre par le pont de Saint-Cloud qu'aucun roi de France ne peut passer à cheval, « car selon une vieille prophétie il tomberait aussitôt en ruines ». Le 16 on est à Lisieux, où on voit faire le cidre; ensuite Caen, où les belles voûtes de Saint-Étienne font impression; on remarque que l'église Saint-Pierre a une couverture de plomb et que la ville héberge de nombreux imprimeurs. Surtout, le cardinal a maintenant retrouvé la compagnie du comte Canossa, l'ancien nonce, devenu évêque de Bayeux, un homme du monde, un ami qui semble avoir pris en mains la direction du voyage, au moins jusqu'à la Loire. Tout le monde se rend le 20 à la résidence épiscopale de Neuilly-la-Forêt, où l'on voit, entre autres, un moulin à marée, marchant avec le reflux. C'est la bonne halte. « Nous restâmes là tout un jour à nous régaler de quantité de poulets, gibier d'eau, grives, lièvres, chapons et paons », note avec gratitude le bon De Beatis. Deux jours plus tard, chasse au renard; manifestement le cardinal a retouvé ses jambes. Le 24 on est au Mont-Saint-Michel, atteint avec un guide par marée basse. Et là, on va apprendre et enregistrer beaucoup de choses. Car décidément, on ne laisse rien perdre des dictons, des légendes, des croyances locales, de tout ce qui se raconte. Mais c'est aussi un peu la tournée des châteaux.

A vrai dire, les châteaux seigneuriaux ne font pas l'objet d'un intérêt particulier de la part des Italiens. Aloysius, homme d'Église, loge surtout en France dans des palais épiscopaux, et Gaillon, où il s'est attardé, est la demeure d'été des archevêques de Rouen. Il faut une occasion ou, si l'on préfère, une invitation particulière pour être hébergé dans un château et prendre le temps de la visite. Ainsi chez Guy de Laval, à Rennes. Il est remarquable que, séjournant peu de temps à Paris, il n'ait même pas vu le Louvre de Charles V.

La liste de châteaux mentionnée dans l'*Itinerario* est donc assez courte, beaucoup plus que celle des sanctuaires à reliques, les observations sont en général sommaires, sauf dans deux ou trois cas où De Beatis nous apporte des informations de premier plan. En descendant le Rhin, les Italiens ont regardé « beaucoup de ces petits châteaux-forts élevés sur les collines, qui abondent en Allemagne », des silhouettes de *burgs.* Aux Pays-Bas, mentions rapides : on fait étape à La Haye dans un château appartenant au Roi Catholique; à Bruxelles, le château où naquit Philippe le Beau est intéressant pour son parc avec zoo; le palais de Nassau, avec sa belle façade, offrait beaucoup à voir, des meubles et des tableaux rares. Mais nous n'avons pas encore rencontré un lieu dont les Italiens se sont sentis obligés d'analyser l'architecture.

C'est à Gaillon qu'a lieu la première halte sérieuse. Monseigneur dut loger au village le premier soir, tout étant pris au château par les seigneurs et les dames qui accompagnent la reine-mère et la reine Claude. Mais, le lendemain, il eut droit à une chambre aux lambris sculptés dont la richesse et le prix

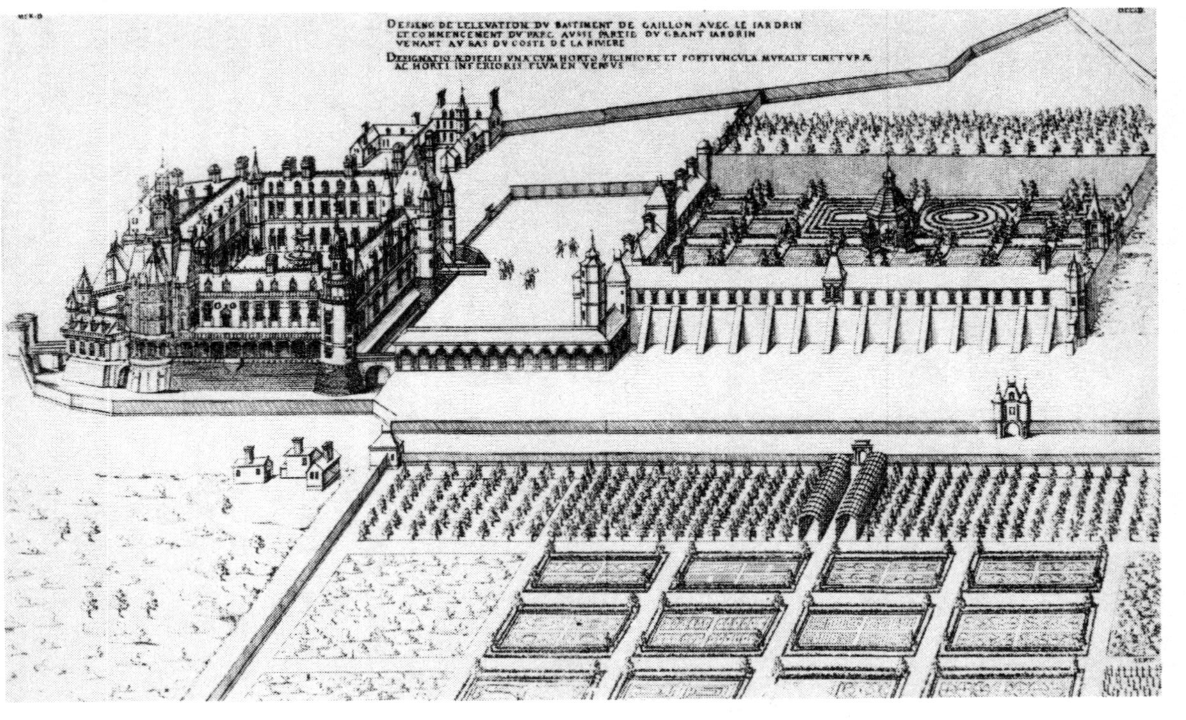

Le château de Gaillon par J. Androuet du Cerceau Les plus excellents bâtiments de France, Paris, 1576.
Photo X. D.R.

(12000 livres) firent son admiration. La demeure, élevée en un temps record par le cardinal Georges d'Amboise (mort en 1510), fait l'objet d'une visite détaillée que le secrétaire a consignée en faisant contre mauvaise fortune bon cœur, car on lui a, durant la nuit, dérobé à l'arçon de sa selle sa sacoche et sa bourse. Description capitale, grâce à laquelle on a quelque idée du luxe intérieur : satins, damas et brocarts, des sculptures des loges, du décor de la chapelle avec ses vitraux et ses marqueteries. Surtout on y trouve évoqué le développement des jardins encadrés de portiques, jusqu'au parc à volières, ensemble disparu depuis longtemps.

La conclusion de ces trois journées du 5 au 7 septembre mérite d'être citée et l'a souvent été en effet :

> « Ce palais est d'une recherche et d'une beauté sans égales, surtout vu de l'extérieur, avec ses reliefs en pierre, ses ornements en cuivre, le profil des toits : bâti sur une colline, qu'il a fallu entailler, il a coûté 700000 francs d'après des personnalités françaises autorisées, ce que tout visiteur trouvera possible. Mais, on ne peut le nier, les pièces et les façades donnant sur la cour sont d'un aspect médiocre. Ce palais a été élevé par Monseigneur de Rouen en concurrence avec celui du Verger que je décrirai plus tard. »

Ainsi s'esquisse dans l'appréciation finale en quelque sorte une étude comparée des grandes demeures seigneuriales françaises. Nous sommes en 1517, avant le développement spectaculaire du milieu du siècle.

En fait, le cardinal d'Aragon n'était pas le premier à s'intéresser à Gaillon. Dès 1511, un émissaire de Mantoue avait envoyé à Isabelle d'Este un long rapport sur ce qui était déjà considéré, dès la mort de Georges d'Amboise, comme un chef-d'œuvre de l'architecture civile moderne. Les Français en étaient fiers, et Charles d'Amboise, neveu de l'archevêque de Rouen et gouverneur de Lombardie, en avait permis la représentation sur une fresque dans un petit château du Piémont au nom prédestiné de Gaglianico. L'éditeur britannique du *Journal,* J. Hale, a donné connaissance d'un troisième document contemporain concernant Gaillon, le *diario* resté anonyme d'un marchand qui a parcouru les pays de l'Ouest entre 1516 et 1518 — peut-être a-t-il croisé la troupe d'Aloysius — ; ce voyageur inconnu a, lui aussi, relevé avec admiration l'aménagement intérieur, les médaillons « à l'antique », les reliefs, les marqueteries, les vitraux. Il précise : « Ils déclarent que cette place, qui n'a pas de dimensions exceptionnelles, est la plus belle de France et n'a pas d'équivalent, même en Italie. » La réputation du château normand était faite. Isabelle d'Este était au courant. Il est permis de supposer que, même s'il n'y avait pas été amené à la suite de la Cour de France, Aloysius serait allé voir cette merveille qui représentait le dernier mot de la modernité par son aménagement luxueux.

Et Le Verger ? On y fut un mois plus tard, après la pointe vers Paris, après la traversée de la Normandie, le pèlerinage au Mont-Saint-Michel et l'étape reposante de Rennes. Ce « palais fortifié », comme l'appellent les Italiens, bâti par le maréchal de Gié († 1513) au temps de sa disgrâce, est à quatre lieues d'Angers. La troupe y fit étape. Le fils du maréchal, Monseigneur de Guise, étant à Paris pour affaires — plus exactement des procès, dit le texte —, le cardinal fut reçu par la maîtresse de maison qui était, notre le journal, fort belle et charmante. C'était une Italienne, fille du comte de Bisignano ; toutefois elle ne parlait que le français : on déjeuna et dîna au château qui fut donc assez visité. Ici intervient la comparaison promise :

> « Bien qu'il ait coûté moins cher que Gaillon [...] et soit moins important, étant un château de plaine et non de colline comme l'autre, il a un plan bien meilleur et offre des chambres plus confortables [...] Le parc et les jardins ne valent pas ceux de Gaillon. »

Nos Italiens ont très bien vu qu'à la demeure du cardinal d'Amboise on avait cherché à tirer parti d'un plan irrégulier ; au Verger, il y avait eu d'emblée un parti quadrangulaire, dont les visiteurs ont apprécié le confort. Quelques années plus tard, le même château sera cité par le nonce Bibbiera

Château du Verger, estampe début XVIIe *siècle.* Photo X. D.R.

comme « la plus belle chose que j'aie vue et crois jamais voir ». Ce qui est dit un peu vite mais confirme la réputation du séjour des Rohan, du moins avant les entreprises plus originales postérieures à 1540, dont l'admirable recueil d'Androuet du Cerceau nous a gardé le souvenir. Mais justement, dans les deux volumes des *Plus excellens bastimens de France* (1576-1579), le Verger ne figure pas, tandis que son rival Gaillon y est dûment représenté. Avec le recul de deux générations, c'est l'ouvrage normand qui prit toute l'importance.

Pour ce qui est de belles demeures civiles, l'essentiel était dit. En reconnaissant le Val de Loire, on observa qu'Amboise possède « une très belle vue », qu'à Blois on voit de bien jolies sculptures ; mais l'attention est surtout attirée par les souvenirs cynégétiques distribués dans les galeries des trois merveilleux jardins : il s'agit des massacres posés sur des protonnes de cerfs en bois accrochés à la file à la hauteur de huit ou dix palmes ; il y a aussi, ajoute de Beatis, beaucoup de chiens de chasse sculptés en vis-à-vis et des faucons toujours placés sur des consoles prises dans le mur. La conclusion vient tout naturellement : « Le roi Louis aimait particulièrement chiens et faucons. » Ainsi un grand chasseur (Louis XII) est salué par un autre.

Les petits châteaux qui scandent la vallée du Rhône seront mentionnés en passant, comme l'avaient été les *burgs* du Rhin. Deux points saillants : Tarascon, parce que « le château ressemble en plus petit au Château Neuf de Naples » ; Avignon, parce que la comparaison s'impose avec le Vatican, la cité pontificale de Rome.

VI

Trois Italiens du Val de Loire

Le Mont-Saint-Michel était au bout de la traversée de la Normandie. Une attraction à tous points de vue : une curiosité naturelle avec ses sables et ses marées ; un haut lieu « dont, d'après les gens, on voit l'Angleterre et les rives de l'Espagne » (par beau temps, par très beau temps, conviendrait-il d'ajouter) ; une forteresse enveloppant une église un peu petite, à laquelle on est justement en train d'ajouter un nouveau chœur ; un site légendaire et une fondation miraculeuse (dont Antonio a recopié, nous dit-il, les détails dans un texte latin prêté par les moines). Autour de la châsse que gardent les bénédictins, un pèlerinage exceptionnel, très fréquenté, comparable pour l'Occident au sanctuaire du Mont-Gargan sur l'Adriatique, avec lequel il est apparenté ; enfin un petit commerce exemplaire de coquilles multicolores, de statuettes de l'archange, de cors en toutes sortes de matières — moins grands toutefois que les trompettes de Milan —, car les pèlerins, leur vœu accompli, retournent chez eux couverts de pacotille pieuse, en sonnant du cor.

Après la visite absolument indispensable du Mont, l'un des sites les plus fameux de la chrétienté, un peu de calme s'imposait. La troupe allait le trouver à Rennes, auprès du comte de Laval. C'était un cousin : il avait épousé en première noces Carlotta, la fille de l'oncle Frédéric, et il en avait eu un fils, le jeune comte de Montfort, et deux filles. On va voir le fils accompagner Aloysius à Bain-de-Bretagne dès le surlendemain ; les demoiselles sont au Plessis-lès-Tours. Cette halte auprès de la famille permet des entretiens assez intimes. Guy de Laval est un grand bel homme à qui « plus de la moitié de la ville de Rennes appartient » ; avec les terres alentour qui sont de bon revenu, et son traitement de gouverneur de Bretagne, il est assuré — note De Beatis sur les indications d'Aloysius — de plus de trente mille ducats l'an.

C'est surtout la table qui a été intéressante. Un plat de choix, du marsouin, « qui se pêche dans l'Océan ». Et surtout de bonnes histoires, plus singulières et fantastiques les unes que les autres, des « contes bretons » qui ont été enregistrés avec soin par les voyageurs et dont nous reparlerons plus tard : le miracle du canard de saint Nicolas, la forêt merveilleuse de Laval, les privilèges magiques des Rohan, leurs voisins... Nous ne saurons jamais ce qui avait amené la conversation sur ce thème des prodiges. Guy de Laval a voulu initier son cousin par alliance à la vie bretonne.

Qu'allait-on faire après ce repos ? Au fond, après la visite au Roi Catholique, la tentative manquée de rencontre avec Henri VIII et l'entrevue avec François Ier, Aloysius en avait terminé avec la tournée des monarques qui pouvaient donner leur avis, peut-être leur encouragement, sur la question de Naples. L'un des buts probables du grand tour septentrional était atteint, avec des résultats plutôt incertains. Qui pouvait songer à troubler sérieusement l'équilibre politique du moment pour favoriser la chimère touchante du cardinal ? D'autant plus qu'elle ne pouvait être approuvée, dans le contexte pacifique de 1517, par Léon X lui-même. On peut se demander si ce n'est pas là tout simplement le sens de la remarque des observateurs vénitiens au sujet de ce départ réalisé « malgré la volonté du Pape » ; Léon n'avait aucune raison de favoriser le rêve princier de son cardinal.

Aloysius avait heureusement, nous le comprenons mieux maintenant, plusieurs cordes à son arc. La question familiale une fois traitée au niveau des princes, il reste quelques visites à faire aux cousins et alliés : aucun ne va être oublié. Après Guy de Laval et les siens et après les charmes de Rennes, on va le 8 octobre à Tours, se recueillir sur la tombe de l'oncle Frédéric. A Grenoble, on visitera celle du « noble, élégant, et illustre Don Alfonso d'Aragon », un fils du même Frédéric, mort tout jeune en France. Luigi a consciencieusement fait le tour des tombeaux de famille ; un devoir qui incombe toujours, n'est-ce pas, au survivant. Mais il y a aussi d'illustres personnages, de grands Italiens à visiter en remontant la Loire de Nantes à Blois. C'est, dans l'ordre : le saint thaumaturge calabrais, François de Paule, mort depuis peu près de Tours ; le plus grand artiste florentin de l'époque près d'Amboise ; et à Blois les jardins et les écuries royales où l'on doit trouver un ingénieur napolitain et le grand écuyer de François Ier, un Milanais. Ces trois étapes dépeignent à la perfection les intérêts ou, si l'on veut, la mentalité de notre cardinal. Ce sont, à leur manière, des pèlerinages. Ces derniers accomplis, on coupera rapidement à travers la France centrale jusqu'à la Savoie et la Provence, où il y a encore beaucoup à voir et à observer, avant le retour. C'est seulement après la Loire que l'*Itinerario* prend un caractère franchement touristique, mais avec certaines préoccupations religieuses demandant explication.

⁂

Ce saint personnage avait fondé à Naples une branche réformée des Franciscains ; par amour de la pauvreté et de l'humilité ceux-ci s'appelèrent les « minimes ». Leurs liens avec la Maison de France étaient anciens. François avait été appelé en 1482 par Louis XI qui, dans la hantise de la mort, avait constamment

Morte del p.to s.to

quale morse lli in uno Oratorio sopra certo lecto
di paglia cō una pietra per capitale che habbia
mo visto: sono gia x anni, in la nocte del venẽ
di sancto et de eta de circa novanta anni: e mol
to piccola. Ad quel tempo anchora che la regu
la del p.to s.to fusse stata approbata et confirmata
per dal Pontificato de Papa Julio ij de s.ta et inmor
tal glo. ne pero era comandato et posto nel cata
logo de gli altri Santi. In una tabella se

Retracto del bmo hō

ne è visto il retracto del Buono huomo de na

Image de saint François de Paule. Dessin du manuscrit de De Beatis.
Photo X. D.R.

recours au thaumaturge. Il l'avait installé près de lui au Plessis-lès-Tours dans un ermitage où les membres de la famille royale venaient le consulter, surtout au sujet de leurs enfants. Louise de Savoie, mariée en 1488 à douze ans à Charles d'Angoulême, était venue l'interroger : le saint homme lui avait annoncé la naissance d'un fils en précisant que l'enfant deviendrait roi. Il fut donc appelé François, et l'on vit étape par étape le sort réaliser la prophétie. L'ermite calabrais avait vécu jusqu'en 1507. L'ordre des « Bonshommes » — comme on les appelait — s'étant répandu en France comme en Italie, ils avaient un couvent sur la colline de Chaillot, à l'ouest de Paris. Charles VIII avait fondé à Rome l'église des minimes à la Trinité des Monts, et Louis XII avait commencé une action auprès du Saint-Siège en vue de l'élévation du saint personnage sur les autels. Luigi était au courant de cette canonisation, qui devait intervenir en 1519, peu après son retour; l'*Itinerario* rapporte la visite :

> « Au moment de notre visite, il n'était pas encore canonisé et placé dans le catalogue des saints, bien que sa règle ait été approuvée durant le pontificat de Jules II. Nous avons vu la paillasse et la pierre sur lesquelles il est mort, et aussi son portrait sur son tableau : avec une grande barbe blanche, très maigre, dans une attitude de

> gravité pieuse, comme on peut le voir un peu d'après une estampe que nous avons collée ici. »

Le manuscrit de Naples comporte en effet à cette page une petite image pieuse assez fine mais mal coloriée, encadrée par la prière au « Bon Homme ». Ces gravures-souvenirs étaient remises aux visiteurs ; la technique de la gravure n'avait guère qu'un demi-siècle, mais elle servait à l'édification populaire. La dévotion à François de Paule constituait un lien exceptionnel entre l'Italie méridionale, où le culte de l'ermite existe toujours et la France, qui l'a un peu oublié.

Charles VIII aimait Amboise, Louis XI aimait Tours et Louis XII Blois, note correctement l'*Itinerario.* Mais à Amboise le souvenir du petit roi qui prétendit conquérir Naples en 1495, n'est pas ce qui va compter. La page est célèbre et d'une importance indiscutable :

> « Notre maître se rendit avec nous tous dans un faubourg voir messire Léonard de Vinci, un vieillard de soixante-dix ans, le peintre le plus célèbre de notre temps. Il montra au cardinal trois tableaux : le portrait d'une dame florentine peint à la demande de feu le magnifique Julien de Médicis ; un *Saint Jean-Baptiste enfant* et la *Madone avec l'Enfant assis sur les genoux de sainte Anne.* Trois ouvrages

absolument parfaits. Mais on ne peut plus attendre de belles choses venant de sa main ; il a la main droite paralysée. Il a formé un élève milanais qui travaille fort bien. S'il ne peut plus colorier avec délicatesse comme autrefois, il est toujours capable de dessiner et de diriger.

« Ce gentilhomme a écrit sur l'anatomie comme personne ne l'avait jamais fait, d'une manière complète, avec des illustrations des membres, des muscles, tendons, veines, articulations, intestins et de tout ce qui constitue le corps humain, mâle et femelle. Nos yeux ont vu tout cela. Il nous a déclaré qu'il avait disséqué plus de trente corps masculins ou féminins de tout âge. Il a également rédigé de nombreux volumes en italien sur l'hydraulique, les machines et autres sujets. Publiés, ces ouvrages seront passionnants et utiles. »

Léonard avait intéressé depuis longtemps la Maison de France. Nous l'avons dit, Louis XII, au temps de la descente en Italie, lui avait commandé en 1507 une Madone à l'enfant et avait demandé à la Seigneurie de Florence de laisser l'artiste à sa disposition. Pendant les années suivantes, Léonard travailla à Milan pour les fêtes et les décors de la Cour. Quand les Français furent contraints, en 1513, de quitter l'Italie, Léonard avait trouvé un protecteur en Julien de Médicis, le propre frère du nouveau pape. On lit dans un de ses carnets : « Le magnifique Julien est parti à l'aube du 9 janvier 1515 pour prendre femme en Savoie ; le même jour mourut le roi de France » (à une petite erreur près sur la date : la mort de Louis XII eut lieu le 1er janvier). Julien avait reçu du roi de France le duché de Nemours et la princesse qu'on lui donnait à épouser était Philiberte de Savoie, la sœur de la reine-mère, celle que le cardinal avait eu l'occasion de saluer à Rouen. Mais ce prince élégant et cultivé était mort en mars 1516 ; Léonard n'avait aucune raison de refuser l'invitation de François Ier. Ce roi avait la plus haute idée du génie de l'artiste : pour lui — rapportera trente ans plus tard Cellini — Léonard était une sorte d'artiste universel, « un vrai philosophe », c'est-à-dire un homme de savoir, un mage prodigieux.

Le jour de l'Ascension de 1517, cet être d'exception s'était installé au manoir du Clos-Lucé. Léonard ne peignait plus. Il mettait en ordre ses monceaux de notes scientifiques, comme l'indique bien la narration de l'*Itinerario*. Quelques années encore d'un calme travail de classement et la navrante confusion qui suivit et empêcha de connaître l'ampleur de ses recherches avant le XIXe siècle, n'aurait pas eu lieu. Il est permis de supposer qu'il s'entretenait d'architecture avec le roi, car il avait formé un projet de château pour la reine-mère à Romorantin, un vaste complexe aux jardins sur la Sandre ; le projet reçut quelque commencement mais fut abandonné en 1519 en raison d'une épidémie. Au même moment le programme extraordinaire du château de Chambord, commençait à être mis en œuvre sur le Cosson ; la réalisation fut très longue, mais il n'est pas douteux que des idées de Léonard y sont en quelque sorte incorporées, en particulier la trouvaille surprenante de l'escalier à double vis autour d'un noyau évidé, traversant de part en part l'édifice — parti qui fut connu et admiré en Italie (Palladio l'a cité dans ses *Quattro Libri* de 1570), a son point de départ dans des dessins du maître.

La relation de l'*Itinerario* est la dernière mention qu'on ait de l'artiste avant sa mort en mai 1519. Cette visite s'imposait. Luigi avait certainement déjà rencontré Léonard à Rome en 1514-1515, quand il logeait au Belvédère du Vatican, peut-être à Florence en 1512. Sa célébrité était telle que toute la troupe des voyageurs accompagna le cardinal. Antonio de Beatis, ignorant apparemment qu'il était gaucher, crut Léonard paralysé de la main droite ; l'erreur (si c'en est une) ajoute à la véracité du récit. Il manque évidemment une description du personnage qu'on imagine grand, un peu solennel, l'air d'un sage, ouvrant volontiers ses cahiers pour la troupe admirative des Italiens. Sa prestance était telle que de Beatis lui donne du *gentilhomo.* La faveur qui leur est faite est appréciée, car ces merveilleux dessins d'anatomie, dont on ne connaissait rien d'équivalent, étaient célèbres ; ils sont fiers de

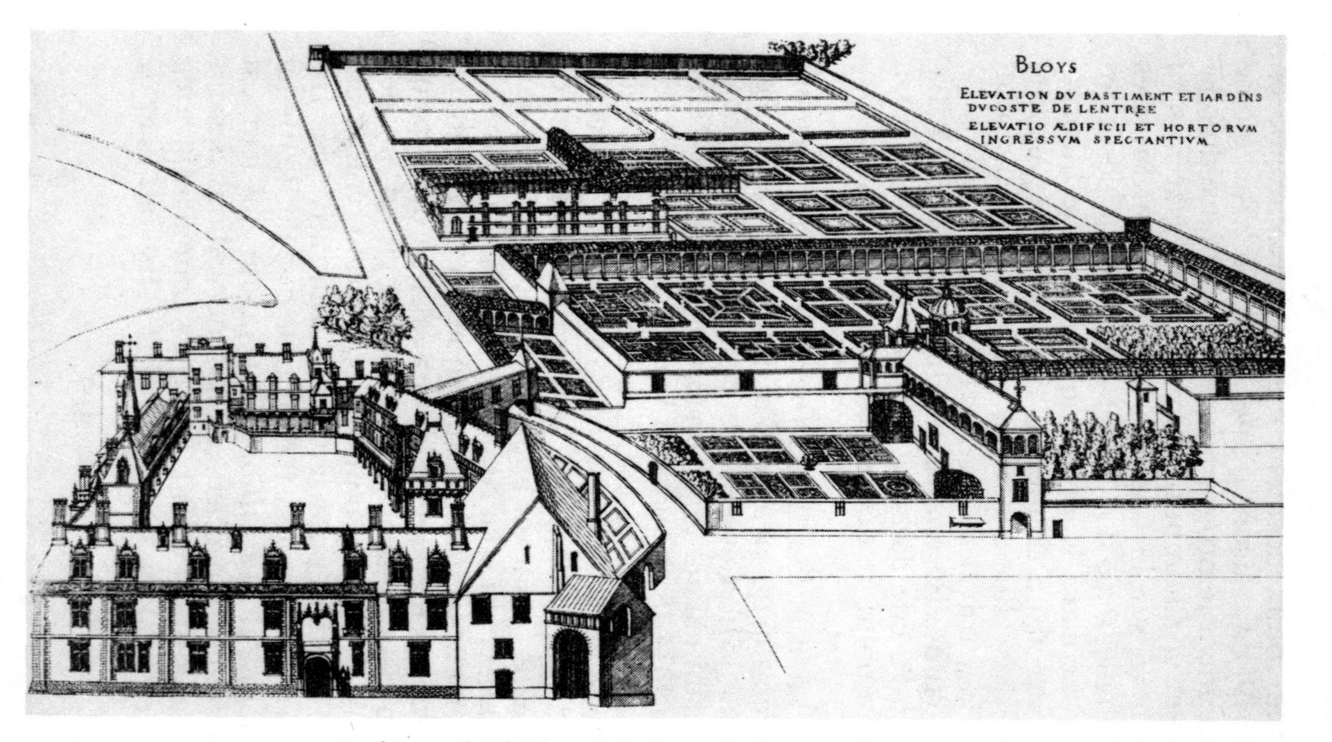

Le château de Blois, par J. Androuet du Cerceau. Photo X. D.R.

les avoir vus de leurs yeux, *visto oculatamente.* Ce qu'ils ont entendu montre bien que Léonard songeait plus que jamais à des publications ; mais il les imaginait de telle sorte que la réalisation ne venait pas. Et ces prodigieux dossiers devaient demeurer cachés pendant des générations.

Francesco Melzi était là pour les recevoir. C'est lui qui allait recueillir le prestigieux héritage sans, hélas ! parvenir à le mettre en forme, à classer les textes, à grouper les dessins, à trouver un éditeur. Le récit de la visite du cardinal prouve que tout était là à Amboise ; l'encyclopédie vincienne n'était nullement destinée à être ensevelie, dispersée, oubliée jusqu'au XIXe siècle. Mais la visite avait commencé par des tableaux et le témoignage du chapelain napolitain est ici capital : le *Saint Jean-Baptiste* et la *Madone avec sainte Anne* sont les ouvrages de la collection royale. Et cette dame florentine *(una certa donna fiorentina),* il faut bien qu'elle soit Mona Lisa ; mais que penser de cette référence à Julien de Médicis ? Il est difficile de ne pas en tenir le plus grand compte, étant donné les relations de ce prince avec Léonard.

L'information ne peut donc être fantaisiste ; si elle s'applique bien au fameux tableau du Louvre, elle inviterait à renoncer au nom de l'épouse de ser « Giocondo ». La question se pose d'autant plus sérieusement que, un peu plus loin, visitant la bibliothèque du château de Blois, le cardinal y a remarqué un portrait de jolie femme, « une dame lombarde moins belle, à mon avis, que Signora Gualanda ». Le texte fait la comparaison avec le portrait vu la veille chez Léonard ; il parle d'une dame Gualandi, et nullement de Mona Lisa del Giocondo, comme modèle du fameux portrait. Contrairement à ce que l'on croit, l'identification du modèle continue à faire problème, et justement en raison du témoignage de l'*Itinerario.* Il ne serait d'ailleurs pas impossible que Léonard ait fait cadeau d'un de ses carnets au cardinal. Un manuscrit (disparu) a été mentionné dans un inventaire napolitain en 1566. Comme il s'agit du duc d'Amalfi, parent du cardinal, on s'est demandé si ce recueil (dont on ignore l'importance) n'a pas été donné en présent par Léonard à son honorable visiteur. S'il faut faire une hypothèse, on devrait songer à quelque étude sur la musique, peut-être même sur l'orgue. Léonard fait allusion quelque part à un *trattato dei strumenti armonici.*

Après Amboise, Blois. Ce qu'il y a de bien dans les jardins de Blois, ce sont les larges allées où l'on pourrait galoper et des pergolas qui sont seulement un peu trop basses pour qu'on puisse y faire du manège avec sauts d'obstacles. Ces jardins sont magnifiques ; dans leurs carrés, on trouve tous les fruits de Campanie — sauf malheureusement les figues. Ils sont l'œuvre de Don Pacello, le prêtre jardinier ramené de Naples il y a vingt ans par Charles VIII. Excellentes endives et choux d'aussi bonne qualité qu'à Rome. Mais l'important, ce sont les haras du roi François :

trente-neuf chevaux dont seize coursiers. Démonstrations pour le cardinal, présentation des plus beaux, des plus rares, tous d'origine princière. Le gris pommelé du haras du seigneur Monsolino (un Napolitain) est venu là par suite d'une série d'échanges de présents : ce n'est pas un vrai cheval de bataille, mais un remarquable sauteur que le roi François aime beaucoup. En général, les chevaux d'élevage français sont plus difficiles. On voit entre autres trotter et manœuvrer une douzaine de chevaux sardes tout récemment offerts par le Roi Catholique. Une merveilleuse journée. Le Grand Écuyer est Roberto Sanseverino, comte de Gaiazzo, dont le père, Galeazzo était passé au service de Louis XII après la fin de Ludovic le More. C'est l'un des grands cavaliers du siècle. Tous les Sanseverino sont liés à la monarchie française.

Les emplettes, finalement considérables, faites au cours du voyage par Monseigneur et expédiées d'un peu partout commençaient déjà à être réunies à Marseille, en particulier, indique le Journal, « la litière royale que Monseigneur avait fait faire à Blois ». Il y fallut tout un galion, car l'expédition comprenait « deux cent cinquante chiens, des grands et des petits, des lévriers et des alezans ». Un autre envoi allait être fait de Lyon et par terre : vingt-huit chevaux de toute espèce, courtauds, bidets, haquenées. On s'équipait pour les chasses futures dans les Apennins avec Sa Sainteté. A Malines, on n'avait pas manqué de commander un ensemble d'arbalètes soignées avec tout l'équipement spécial pour la chasse, qui devaient arriver à bon port à Rome par la suite. De beaux présents pour le Saint-Père et les membres de la Curie.

VII

La question des reliques

La troupe quitte Blois le 13 octobre. Par étapes — relativement courtes — de huit lieues, on gagne Lyon où l'on arrive le 20 ; une ville qui plaît beaucoup « c'est la plus belle ville de France », note le journal, parce que les femmes y sont très jolies et qu'elle est pleine d'Italiens. La suite du voyage est commandée par trois visites, dont on devine vite l'importance : Chambéry et la Grande-Chartreuse, Avignon où l'on fait halte quatorze jours (du 7 au 20 novembre), et les deux lieux de pèlerinage jumelés : Saint-Maximin et la Sainte-Baume, dont la visite, longue et attentive, aura lieu les 25 et 26 novembre. Ensuite on va gagner Gênes par la côte.

Cette partie de l'équipée du cardinal semble un peu moins allègre, comme si de nouvelles préoccupations se faisaient jour. Les trésors des sanctuaires et les reliques prennent une importance croissante, au point même qu'une réflexion critique, est brusquement consignée dans l'*Itinerario* après une visite à Arles.

Réflexion qui n'est évidemment pas propre à de Beatis, mais qui constitue un temps fort du Journal. Un rapide coup d'œil rétrospectif suffit pour s'assurer que, dès le début, à Constance et à Cologne par exemple, et de plus en plus souvent par la suite abondent les notes sur la nature, la présentation et le rôle des reliques.

Tout se passe comme si le cardinal avait été chargé d'une sorte de mission d'inspection, à moins qu'il n'ait petit à petit dégagé lui-même le problème que posaient aux autorités de l'Église l'ampleur un peu extravagante et l'attraction superstitieuse des vestiges parfois assez saugrenus offerts à la piété et le plus souvent porteurs d'indulgences. Les sanctuaires en sont pleins, des commentateurs bavards les présentent partout, en rappelant l'histoire des *Dix mille Vierges* de sainte Ursule à Cologne, celle des *Sept frères* à Aix-la-Chapelle, que le pape Alexandre VI n'a même pas pu éliminer par suite de la résistance locale, celle de la Madeleine à la Sainte-Baume. Nous prenons ici la mesure de la place tenue par les châsses et les pieux souvenirs dans la vie des populations. Et même des nations. On déplace et replace les restes précieux de saint Denis dans la grande basilique française, à chaque entreprise guerrière de la monarchie. De même, le suaire de Chambéry est l'objet d'une dévotion royale. De Beatis ne l'a pas relevé, mais nous le trouvons mentionné dans le calendrier personnel des grandes dates tenu par Louise de Savoie : « Le vingt-huit de mai 1516 environ cinq heures après midy, mon fils partit de Lyon pour aller à pié au Saint-Suaire à Chambéry. »

Le sanctuaire de Notre-Dame de Boulogne est l'objet d'une grande dévotion non seulement locale et régionale, mais encore de plus loin ; « son voûtement, note le journal, est très aérien (*aeroso*) ». La collection de reliques est impressionnante : la Vierge noire en bois, très vénérée, est dans le chœur ; le trésor n'inclut, dans des châsses en argent doré, rien de moins que « des cheveux de la Madone, une goutte de son lait, du sang de Notre Seigneur, un morceau du bois de la Croix d'une palme et demie, un pan de la première tunique du Christ, etc. une grande bible qu'on dit avoir appartenu à la Madone. Au milieu pend une grande serre de griffon ». Suit le récit de l'origine de l'église : neuf siècles plus tôt, une barque apportant cette statue et ces reliques se trouva par miracle dans le port de la ville. Les aumônes recueillies chaque matin permirent d'édifier le sanctuaire. Par la suite tout cela a disparu : la Vierge noire brûlée en 1793, les reliques dispersées par les huguenots en 1567, le bâtiment ruiné. Mais, grâce au Journal, le culte de la statue et la légende de la barque ont été enregistrés de la manière la plus attachante. Outre le constat habituel qui sera complété en fin de voyage par une réflexion critique assez perplexe, l'*Itinerario* relève soigneusement l'origine princière des ex-votos : des cœurs en or offerts par Louis XI (« le père du roi Charles qui alla à Naples », ajoute le texte) et de petites statues des ducs de Bourgogne à cheval, toujours en or mais pas plus grandes que la main.

Pour la Sainte-Chapelle du Palais à Paris, nous trouvons une notice historique des plus parfaites. Comme ce précieux mobilier sacré a été saccagé plus tard, elle constitue un document si net et si éloquent qu'il faut la citer en entier :

> « Dans la cour du Palais, il y a la Sainte-Chapelle : elle n'est pas très grande et comporte deux églises superposées, où les offices sont parfaitement assurés par des chanoines estimés et bien pourvus. Dans l'église supérieure, l'autel richement décoré d'or porte un tabernacle, auquel on accède par derrière des deux côtés, grâce à un escalier à vis en cuivre où ne passe qu'une personne. Au niveau supérieur, celui du tabernacle, il y a une petite plate-forme où nous avons vu, Monseigneur et nous tous, les reliques suivantes : la couronne d'épines de Notre-Seigneur dans un tabernacle de cristal décoré d'or où brille comme un soleil une escarboucle de la grosseur d'un œuf, d'une valeur inestimable, si elle a la finesse qu'on nous a déclarée ; la couronne est entière mais sans les épines dont on peut voir qu'elles ont été enlevées, elle est ronde et grosse, faite de branches fines d'osier dont, bien que Monseigneur et nous tous l'ayions exami-

née de très près, nous n'avons pu identifier l'origine.

« Il y avait aussi un morceau de la Sainte Croix enchâssé dans une croix d'or, un bois de plus d'une palme et demie ; dans un autre reliquaire, d'or également, ils font voir une lance du Christ. En outre, nous avons vu une croix d'or avec beaucoup de grosses perles, des rubis et autres joyaux précieux, et d'autres reliques encore, toujours enchâssées dans l'or. »

Cet examen attentif, professionnel en quelque sorte, des reliques illustres, est révélateur. Le texte poursuit :

« La chapelle, qui n'est pas très grande, possède des vitraux, les plus grands et beaux qu'on ait jamais vus ; au milieu, pend une serre de griffon, chaque ongle ayant une palme et demie ; si elle est authentique, on peut dire que c'est une chose exceptionnelle, s'il s'agit d'un travail artificiel, c'est fait avec beaucoup d'habileté.

« Les deux chapelles ont été élevées par Saint Louis roi de France, à son retour du Saint-Sépulcre. Il déposa dans l'église supérieure, proprement appelée la Sainte Chapelle, les reliques citées, rapportées par Sa Majesté de Jérusalem. »

L'information est rigoureusement correcte ; la description calme et soignée laisse deviner une visite bien conduite. Car, on l'a vu, la cathédrale n'a pas eu droit au même traitement. La serre de griffon servant d'ornement suspendu était une chose fréquente. Le Journal trouve celle de la Sainte-Chapelle un peu grande ; vue d'en bas, on ne peut décider de son origine. Le jugement est habile et mesuré.

L'*Itinerario* de Münzer donne une liste similaire. Mais les voyageurs allemands n'ont pu voir la couronne d'épines, car « le reliquaire a plusieurs clefs, mais le roi Charles VIII est à Naples, dit le texte, et le duc de Bourbon qui assure la régence se trouve à Moulins ». Ils ne s'interrogent pas, comme font les Italiens, sur la validité des pièces. Déjà, à Nuremberg, ville des grands forgerons, on a demandé de quel métal était faite exactement l'épée de saint Maurice « qui lui fut remise par un ange » ; personne n'a su le dire. La même ville se flatte de détenir les *regalia* impériaux : couronne et globe de Charlemagne, et la pointe de la lance du centurion qui a percé le flanc du Christ : « Ils affirment l'avoir comparée avec la lance qu'on voit à Rome sur l'autel du monument funéraire d'Innocent VIII, d'où cette pointe est absente. » On interroge donc constamment le clergé responsable ou, comme ce fut le cas à la chapelle de Bourges, les chanoines : « Ceux-ci montrèrent un grand calice fait, à ce qu'ils dirent, de chalcédoine, avec ornements d'or. Notre maître trouva qu'il avait l'air de cristal, mais si finement taillé que je doute qu'on puisse en faire un identique aujourd'hui. »

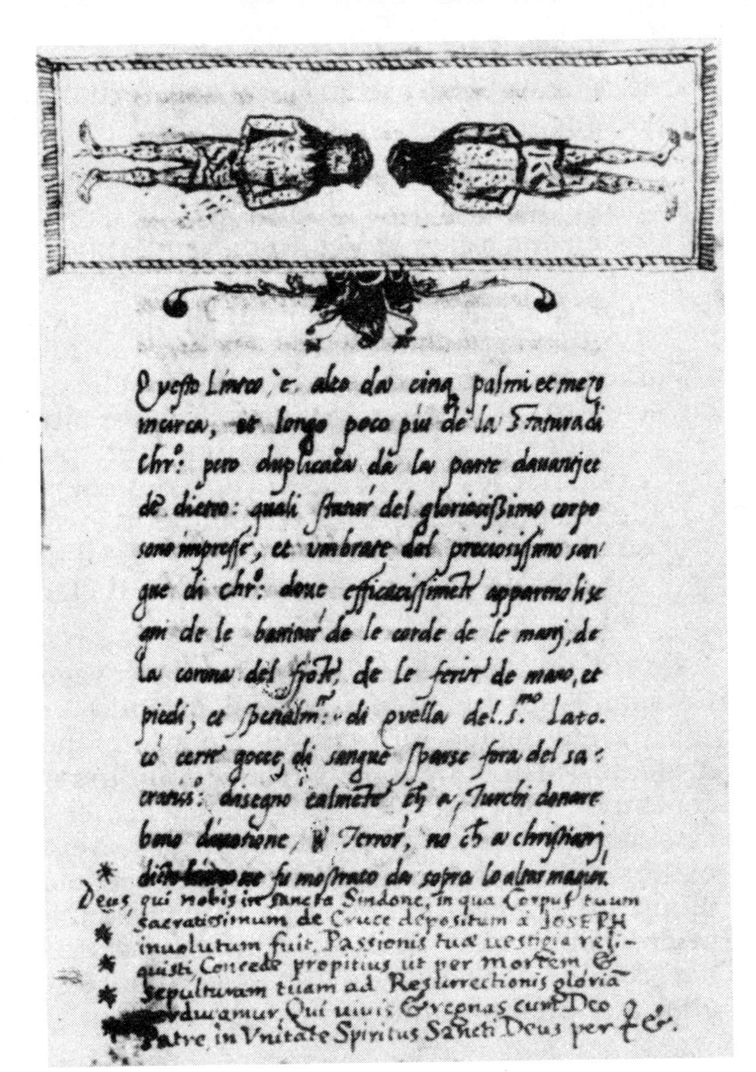

Questo Linceo è alto da cinq palmi et mezo incirca, et longo poco piu de la statura di
Chr°: pero duplicato da la parte dauanti et
de dietro: quali signe del gloriosissimo corpo
sono impresse, et umbrate del preciosissimo san
gue di Chr°: doue efficacissimēte appareno li se
gni de le battitur de le corde de le mani, de
la corona del spiñ, de le ferit de mano, et
piedi, et spēnalm̄ di quella del s.mo lato.
cō certe gocce di sangue sparse fora del sa:
cratiss°: disegno talmēte ch a Turchi donare
bono deuotione, et Terror, no ch a christiani
ditto Lincio ne fu mostrato da sopra lo altar magior.

Deus, qui nobis in sancta Sindone, in qua Corpus tuum
sacratissimum de Cruce depositum à JOSEPH
inuolutum fuit, Passionis tuæ uestigia reli-
quisti, Concede propitius ut per Mortem &
Sepulturam tuam ad Resurrectionis gloriā
perducamur. Qui uiuis & regnas cum Deo
Patre in Vnitate Spiritus Sancti Deus per &c.

Le saint Suaire de Turin
miniature du ms. BN. fr. 24955 (1517). f° 60. Photo B.N.

Le 27 octobre, le Saint Suaire, jalousement gardé à Chambéry, est l'objet d'une véritable inspection :

> « C'est à coup sûr la plus vénérable et prodigieuse relique de la Chrétienté. Son ostension a lieu le Vendredi Saint et pour les fêtes de l'Invention de la Croix en mai ; elle attire alors la foule des pèlerins. Le duc de Savoie Charles III lui avait fait faire un abri spécial dans une chapelle du château, et dès lors la ville ne connut plus d'épidémie de peste. Monseigneur put examiner les traces des cordes, des coups de fouet, des blessures et l'étudier à loisir sur l'autel où on l'avait étendu. Mais il ne sut dire de quel tissu : soie ou lin, il était fait. »

Ce fut un des grands moments du voyage. Ce suaire qui fut abîmé par un incendie en 1532, a été depuis lors transporté à la cathédrale de Turin (1578). Il s'y trouve toujours et continue à intriguer les gens de science et à fasciner les esprits pieux. Sur l'un des exemplaires de l'*Itinerario*, un dessin a été recopié, montrant l'image de dos et de face, avec une prière appropriée. Dans ce domaine particulier, comme dans celui de l'art, le cardinal a su aller aux exemples qui s'imposaient.

La visite à la Sainte-Baume était, bien entendu, également au programme. En Provence, le climat de prodiges devient dense et envoûtant. A Saint-Victor de Marseille, tenu par cinquante Bénédictins, on peut baiser la croix de saint André, mais elle est recouverte de fer, sauf une petite partie offerte à la dévotion, et « on ne peut voir de quel bois elle est faite ». Toujours ce petit problème. Surtout, il y a là l'oratoire « creusé dans le roc » où dormait la Madeleine. Nouvelle précision du journal : d'après les dimensions, la sainte était de très grande taille. Déjà à propos de saint Lazare, dont les moines gardent la côte, Antonio de Beatis s'étonnait un peu : « Ce saint et ses sœurs étaient des géants, en somme. » Mais il conclut flegmatiquement : « De toute façon, c'est une grande et glorieuse sainte. »

C'est novembre, il neige ; on monte à cheval jusqu'à la grotte extraordinaire où vécut la Madeleine ; elle est gardée par les Franciscains ; une grille la protège. On boit l'eau de la fontaine. En haut de la montagne, où elle conversait avec les anges, il y a une chapelle : on vous distribue un texte poétique (cette prière est, en fait, l'œuvre de Pétrarque). Il faut ensuite aller à Saint-Maximin ; les trésors les plus véritables y sont accumulés : le reliquaire de la tête, masque d'argent où l'on aperçoit seulement la partie du crâne « au-dessus du sourcil gauche que touchèrent les doigts du Seigneur » ; la mâchoire est énorme. Sur l'autel, le corps de la sainte dans un coffre d'argent ; à part, quelques-uns de ces cheveux d'or qui essuyèrent les pieds du Sauveur. Dans un coffre, le flacon du Précieux Sang, « dur comme de la pierre », qui se liquéfie le Vendredi Saint. Et d'autres membres épars, souvenirs de ce groupe pieux qui aborda sans pilote à Marseille « l'an 34 de Notre-Seigneur, comme le rapporte le bréviaire ».

De Beatis qui a recopié l'hymne de Pétrarque, est amené à relever encore le texte d'une tablette d'ex-voto qui ne pouvait que faire battre le cœur d'Aloysius. C'était une prière rédigée par Mario Equicola pour *Isabella Italis gloria plurima,* l'illustre cousine de Mantoue, qui était justement elle aussi venue en ces lieux au printemps de 1517. Ce chassé-croisé ne laisse pas d'étonner. On ne sait trop ce qui avait incité la marquise à rechercher au prix de ce pèlerinage les faveurs de la Madeleine. Mais le plus curieux est que son secrétaire, humaniste bien connu de Luigi évidemment, avait rédigé au cours des mois suivants, un opuscule sur le voyage : *De Isabella Estensis iter in Narbonensem Galliam.* Poète docte, humaniste distingué, Equicola ne raconte rien ; son texte, chargé de sentences et de références épiques, fait apprécier par contraste la précision terre à terre de notre chanoine. Mais il est permis de penser qu'Isabelle d'Este et Luigi s'étaient donné le mot. Dans cette famille on avait manifestement plaisir à commémorer ses déplacements.

Comment se fait-il que les cousins soient attirés au même moment par les mêmes lieux ? Les Aragonais pouvaient se souvenir qu'il s'agissait d'un culte venu de Naples, au temps des Angevins ; René d'Anjou, le bon Roi de Provence des légendes, avait particulièrement veillé à la mise en état du reliquaire céphalique en argent, celui dont le volet se soulevait pour laisser voir ce crâne qui paraissait terrible à certains visiteurs. Autour de 1500, le culte de la Madeleine, ermite féminin visité par les Anges, avait acquis une importance extraordinaire et même, si l'on veut, démesurée. Pour des raisons qui nous échappent, les grandes Maisons princières y étaient attentives. En 1501, Philippe le Beau, le père de Charles de Habsbourg (notre Charles Quint) se rendit en Espagne : son chambellan Antoine de Lalaing a laissé un compte rendu purement technique, si l'on peut dire, du cérémonial qui accueillit le prince héritier dans les villes. Une seule exception : la visite à la Sainte-Baume, longuement décrite. Toujours la Madeleine. Dévotion à la mode chez les Grands.

Jamais le pèlerinage de la Madeleine n'avait été plus dévotement fréquenté. Une longue relation est donnée par le voyageur de Nuremberg, Jérôme Münzer, dans son *Itinerarium*. Il examine avec l'œil attentif du pèlerin-touriste dévot toutes les reliques, en particulier :

> « La tête de la Très Sainte Madeleine que protège un masque d'or et d'argent. Cette tête est terrible à voir : sur le devant à gauche, de la chair et des cheveux adhèrent aux os du crâne, à l'endroit où le Christ ressuscité la toucha en disant : *Noli me tangere*. La mâchoire inférieure tient

Godefroy le Batave : buste-reliquaire de la tête de la Madeleine ; vue de la Sainte-Baume. Manuscrit. Bibl. Nat., Paris. Photo B.N.

> encore. Quel spectacle étonnant et extraordinaire ! Il n'y a pas, je crois, au monde pareil objet sacré *[numen]* de la religion. Plus on le regarde, plus on est saisi d'un sentiment d'effroi. »

Un peu plus loin, le Nurembergeois recopie tout au long, comme de Beatis, l'*Oratio* sans mentionner le nom de Pétrarque. Chaque visiteur retient ce qui lui convient. Par comparaison avec le commentaire émotif et terrifié de Münzer, le texte de l'*Itinerario* paraît flegmatique, presque blasé.

Ce n'est pas la curiosité, ni la seule piété, qui amenaient Luigi et ses compagnons sur la montagne sainte. A la fin de 1515 les trois dames qui dominaient à la Cour — Louise, la reine Claude et Marguerite — se rendirent au devant du vainqueur de Marignan. Après avoir descendu le Rhône, elles le rejoignirent à Sisteron, lui rentrant d'Italie, elles, remontant de Marseille. Tous ensemble se rendirent à la Sainte-Baume. Le 21 janvier 1516 François y fit, lui aussi, son pèlerinage.

Luigi avait vraiment le don de passer juste au moment critique là où quelque chose d'important se préparait. La dévotion de Louise de Savoie à la Madeleine l'amena donc à la Sainte-Baume en janvier 1516 ; elle demanda alors à un humaniste de la Cour, l'ancien précepteur du roi François du Moulin, d'écrire la vie de la sainte. La tradition hagiographique cachait de nombreux problèmes et, si populaire que fût la sainte pècheresse, il fallait démêler plusieurs récits qu'embrouille la Légende dorée. Du Moulin rédigea en 1517 un éloge des vertus prêtées à la sainte et laissa à son maître Lefèvre d'Étaples — celui-là même dont le renom parisien n'avait pas échappé aux voyageurs — le soin de procéder à l'examen critique. Le petit traité de Lefèvre parut en avril 1518 chez Henri Estienne et suscita une vive querelle théologique. On commençait donc à parler du problème « historique » de la Madeleine dans les milieux français. La visite minutieuse du cardinal se comprend d'autant mieux.

Il y a des coïncidences. Le 31 octobre, à la porte de l'église du château de Wittenberg, furent affichées par un moine augustin des « thèses » qui contestaient l'usage fait par Rome des Indulgences. Le même jour, Luigi visitait l'abbaye de Saint-Antoine-en-Viennois, où on lui présentait des reliques à n'en plus finir. Suivit une halte à la statue miraculeuse de Notre-Dame du Plan, près de Pont-Saint-Esprit, puis à Avignon et à Arles. A l'église Saint-Antoine d'Arles, nouvelle présentation de reliques et de nouveau le corps vénéré du saint qu'on avait vu dans le Viennois... Une longue note critique, en forme de bilan, occupe ici deux pages de l'*Itinerario* : tous les doublons de têtes, de pieds et de doigts de saint Jean-Baptiste, de lances du Christ, d'épines de sa couronne. « Je ne prétends pas décider devant ces reliques en double des vraies et des fausses. Ce n'est pas mon affaire. » Cela n'est pas affaire de foi et n'atteint pas celle-ci. Il reste que le clergé ferait bien de vérifier un peu ce qu'il présente. Bien sûr, la confusion est antique et maintenant irréparable. Quelle ville, quel pays acceptera d'y renoncer?

Ces réflexions critiques sur l'abus des reliques et l'inextricable réseau des dévotions mal fondées, révèle une préoccupation que le prélat napolitain partageait à coup sûr avec son chapelain et qu'ils n'étaient pas seuls à avoir, si l'on en juge par l'enquête sur la Madeleine des théologiens français. Nous sommes dans l'année fatidique 1517, où va se déclencher la révolte du Nord de la chrétienté contre Rome. En dix ans, le monde germanique va être gagné par l'idée d'une foi « réformée » et inscrira solennellement son horreur du papisme dans le dramatique sac de Rome.

Depuis longtemps, les clercs évolués supportaient mal les cultes abusifs instaurés autour des prétendues reliques. Érasme ne manquait jamais une occasion d'en plaisanter, et la superstition chrétienne occupe une place de choix dans le *best-seller* que fut la *Moria*, l'*Éloge de la Folie*, paru en 1511, que l'on avait dû lire en souriant dans le cercle de Léon. S'y attendait-on à la vigoureuse dénonciation que vont coup sur coup jeter avec dégoût les amis de Luther et avec fureur les lecteurs de l'impitoyable *Traité des Reliques* de Jean Calvin? L'énergie des uns, le génie cruel des autres allaient amener une sorte de raz-de-marée d'iconoclasme dans la chrétienté du Nord, gagnant ensuite l'Angleterre; la guerre civile en France en sortit, dans la mesure même où le conflit des réformateurs et des fidèles de Rome mettait pratiquement en cause la destruction ou la préservation des images et des reliques. Les voyageurs italiens ont vu le problème. Ils sont embarrassés, mais ont bien soin de ne rien brusquer. De quel droit bouleverser des usages si intimement liés à la vie, à la piété des foules ?

Ce qui ne semblait d'abord être qu'une tournée des châteaux est ainsi devenu une sorte d'étude d'anthropologie religieuse mêlée de sympathie et d'inquiétude. D'autant plus que l'*Itinerario* note ici, comme on l'a vu pour le Mont-Saint-Michel, l'activité des marchands de « souvenirs ». On vend à Saint-Antoine-en-Viennois cloches, croix en Tau, petits cochons... ; des madones d'argent à Notre-Dame de Bollène ; à la Sainte-Baume des objets thaumaturgiques et non des symboles de dévotion : morceaux du rocher à l'abri duquel vécut sainte Madeleine « qui éteignent l'ardeur de la fièvre », et « des cordons aux dimensions de la sainte pour les femmes en mal d'enfant ».

Cardinal romain, méridional familier du Mont-Gargan, dévôt de saint François de Paule, Luigi ne pouvait méconnaître la fécondité émouvante des pèlerinages ni l'élan désordonné de la piété populaire. Quelques jours plus tard, il est accompagné aux îles de Lérins par l'évêque Grimaldi, abbé de Saint-Honorat. Celui-ci lui paraît un modèle de piété, « comme le prouvent les pèlerinages qu'il fit à

Saint-Jacques en Galice, à Saint-Thomas en Angleterre, dans tous les sanctuaires de France et d'Italie, et dernièrement au Saint-Sépulcre ». Le tourisme de dévotion avait une ampleur que nous oublions trop. Il intéresse le cardinal justement parce que son voyage en participe dans une certaine mesure. Ce qui n'empêchera pas le groupe de procéder, une fois de plus, à une visite attentive, suivie d'une véritable expertise, au *Santo Catino* de Gênes, énorme coupe hexagonale d'émeraude qui passait pour le Saint Graal et dont la légende — non rapportée ici — allait jusqu'à en faire un don de la reine de Saba à Salomon. Relique, objet rare, œuvre d'art. Tous ces termes sont trop proches, pour qu'on songe à briser le lien précieux qui les associe dans la réalité et dans l'imaginaire. On aurait bien voulu savoir la vraie nature, la véritable origine de ces pièces célèbres. On s'interroge, on révoque en doute les racontars des guides, mais on ne sait que conclure.

VIII

L'art dans l'église : orgues et tombeaux

On ne peut pas dire qu'Aloysius ait fait avec sa troupe le tour complet des grandes cathédrales. Il se rend, bien sûr, dans les sanctuaires des villes importantes, mais en passant très vite. On a admiré, bien sûr, la cathédrale de Bâle ; celle de Strasbourg est « magnifique, très grande, couverte de plomb », on est surtout attiré par la tour, mais Sa Seigneurie n'a grimpé que jusqu'à la moitié des huit cents marches ; à Spire, à Cologne, on note la qualité des édifices, mais on regarde surtout les reliques ; à Aix-la-Chapelle, la tribune en demi-coupole est très belle et, avec l'autel, compose un très beau chœur. « Beau » : le terme est plat et commode, mais ce sont les tombeaux qui comptent.

En France, les commentaires sont un peu moins sommaires ; on apprécie la faveur avec laquelle cet homme d'Église méridional considère l'architecture que nous avons appelée gothique (le terme n'est pas encore d'usage courant, il l'aurait employé) ; il ne la nomme pas une seule fois barbare ou irrégulière ; elle est tout simplement pour lui l'architecture de la chrétienté du Nord. Et on apprécie les édifices en tant que tels.

Les notes du journal sont souvent trop laconiques pour notre curiosité. On se contente de constater. Mais c'est le ton de tous les *diarii* et *itinerarii* de l'époque. Avec juste assez de traits particuliers pour entretenir notre intérêt. Par exemple le palais de Henri, comte de Nassau, stathouder général des Pays-Bas après 1515, est signalé à Bruxelles sur la colline qui s'élève au-dessus du palais du Roi Catholique (disparu au XVIIIe siècle) : « Le palais est très grand et beau dans le style allemand *(per lo modo todescho),* comme on en voit et comme on sait qu'il y en a dans toutes les deux Allemagnes » (c'est-à-dire la Haute-Allemagne jusqu'à Cologne et les Pays-Bas). Pas un mot pour déprécier cette manière germanique : elle est à sa place, elle comporte des réussites ; dans le cas particulier du palais de Nassau, ce qui est surtout admiré, ce sont à l'intérieur « les panneaux de chêne travaillés d'ondulations ravissantes qui rappellent celles du camelot », qui couvrent les murs du plancher au plafond. Tous les Italiens n'étaient pas incapables d'apprécier l'originalité du Nord. Le jardin de ce même palais paraît digne de l'Italie.

A Rouen, par exemple, on relève « une belle façade travaillée de figures en relief, deux clochers élevés dont un inachevé ; leur pierre tendre explique qu'on a pu en tirer des sculptures de grand art ». C'est peu, mais bien observé. A Bourges, l'église cathédrale est « immense et très belle, bien qu'elle n'ait pas la forme en croix de la plupart des églises de notre temps ». Ce qui est aussi une bonne observation. Seule Notre-Dame de Paris ne plaît pas : *non molto bella,* malgré ses dimensions. Il en va autrement de la Sainte-Chapelle et de l'abbatiale de Saint-Denis, mais là encore ce qui retient l'attention des visiteurs, ce sont surtout les reliques et les trésors.

Le charme des églises gothiques en accord avec l'architecture des villes a été noté en passant à Mantes, bourgade « très agréable et bien arrangée avec des maisons à colombages comme il s'en voit dans toute la France ; il y a une belle église bien en rapport avec le lieu, mais on en bâtit une autre très belle aussi ». La collégiale méritait donc le détour ; le nouvel édifice devait être Saint-Maclou (détruit), dont la tour fut longtemps en chantier. A quelques lieues, Poissy, que l'on admire en passant avec son beau pont large doté de cinq moulins, permet d'évoquer un souvenir historique. Les Dominicaines chantaient none dans eur clôture en fer forgé ; « L'église qui est très belle et le couvent qui est très grand ont été édifiés par le roi Louis qui devint Saint Louis. » Le tour rapide des notations peut paraître désinvolte ; mais d'ordinaire le jugement est nettement motivé. Ainsi, Saint-Maurice d'Angers est vaste, mais sans beauté, car on dirait « une longue chapelle étroite sans bascôtés ». Le ton peut même devenir sévère. Fréjus n'a pas plu à nos touristes : ce n'est pas une vraie ville : église basse « sombre comme une caverne et mal tenue », et ce malgré un bon revenu qui devrait évidemment permettre de faire mieux. On sent ici le censeur ecclésiastique : l'évêque, Mgr Fierché, qui est mentionné, était un fort ancien collègue du cardinal, puisqu'il avait été élevé à la pourpre par Alexandre VI sur la fin du XVe siècle, à peu près en même temps que Luigi.

Les sanctuaires contenaient partout des tombeaux qui ne pouvaient pas ne pas retenir l'attention des voyageurs. Ceux-ci savaient très bien que c'est là un aspect majeur de l'art d'Occident. A Innsbruck, le grand projet de Maximilien avec ses chevaliers de bronze les a étonnés par l'ampleur incroyable du projet. A Bruges, que De Beatis regrette d'avoir traversé trop vite, l'*Itinerario* note une visite à Notre-Dame « où se trouve la tombe de l'impératrice Marie, l'épouse de l'empereur Maximilien et la mère de Philippe (le Beau) : il est fait de bronze doré et d'un fin travail ». Un monument en forme de dalle surélevée, comme on pourrait en voir à Saint-Sebald de Nuremberg, par exemple, mais dans la ville souabe le détail des églises n'a pas été donné. Il est frappant de voir que les églises étaient alors, pour le cardinal comme pour les fidèles de tout temps, une résidence de saints — dont on vénérait les reliques — et de défunts illustres

— dont on saluait le tombeau. Mais quand ils sont passés à Spire — « où huit empereurs sont enterrés » — et à Cologne, les châsses somptueuses ont surtout retenu l'attention des voyageurs.

En France, on examine de grandes sépultures. Ainsi, à Rouen : « Au milieu de la cathédrale le regretté cardinal de Rouen gît dans un tombeau de marbre de six empans de haut, avec sa statue grandeur nature au sommet ; il y a une grille autour. » Les historiens ont longtemps cru qu'il s'agissait ici de Georges d'Amboise, le seigneur de Gaillon († 1510), mais cette structure ne correspond pas au monument que l'on peut voir aujourd'hui ; il s'agit en fait de son prédécesseur, le cardinal d'Estouteville († 1483), bien connu à la Curie romaine, dont on avait élevé dans la cathédrale le cénotaphe ; les descriptions anciennes correspondent (ce monument avec priant fut détruit par les huguenots en 1562).

Luigi et les siens étaient donc bien préparés pour la visite à Saint-Denis :

> « Une très belle église et en plus de la dévotion dont elle bénéficie, la plus riche, je crois, de la chrétienté en or, argent et pierres précieuses. C'est là qu'on enterre les rois et reines de France après leur mort, mais leurs cœurs sont déposés dans d'autres sanctuaires selon leurs affinités pieuses. Ces tombeaux reposent sur le sol ; ils se trouvent pour la plupart dans le chœur ; ils sont en marbre d'une hauteur

d'environ sept palmes et sans rien de somptueux. Sur le plat supérieur on voit leur effigie en bas-relief, sauf sur le dernier, celui du roi Charles, où il est à genoux. Certains sont entourés de grilles de bois et fermés à clef, d'autres non. On voit l'humilité des rois de France dans la mort. »

Il y a là plusieurs observations remarquables. Par comparaison avec le luxe éclatant des reliquaires et la richesse du trésor — dont on a déjà parlé —, les sépultures sont d'une simplicité que le secrétaire de Luigi croit bien faire d'interpréter chrétiennement.

Un demi-siècle plus tard, il n'aurait pu décrire la situation dans les mêmes termes. Le tombeau de Charles VIII (mort en 1498) que venait de réaliser l'italien Guido Mazzoni est justement le premier exemple d'un nouveau type de tombe royale, dont les historiens comme E. Panofsky ont souligné l'importance. Le défunt était représenté *al vif*, sur son prie-dieu, dans un bronze doré relevé d'émail qui lui donnait un aspect hallucinant. Ce n'était pas l'humble gisant des ancêtres. Le sculpteur italien au service de la Maison de France avait inventé une présentation dévote mais glorieuse qui isolait la statue. Depuis la mort de Louis XII (1515), qu'avait précédée celle d'Anne de Bretagne (1514), deux artistes italiens, les Juste, travaillaient à un monument qui allait être un développement grandiose du tombeau royal, associant les *priants* de l'étage supérieur aux *gisants* traités en ronde bosse. Là encore, les remarques de l'*Itinerario* se situent à une articulation historique, à la veille du changement.

Les étapes suivantes du voyage seront Nantes, Angers et Bourges. On n'avait pas d'artistes notoires à citer, mais des ouvrages modernes intéressants à voir ; ils s'alignent tout naturellement, et avec une netteté tranquille, dans l'*Itinerario.* A Nantes, visite au couvent des Carmélites :

> « Le double tombeau du duc et de la duchesse de Bretagne, grands-parents de l'actuelle reine de France forme un bloc rectangulaire au milieu du chœur. Le sépulcre même est de marbre noir, les statues d'albâtre avec des guirlandes et cordelières sculptées également en albâtre. Aux quatre angles se trouvent les statues des vertus : Force, Tempérance, Justice et Prudence en ronde bosse, de sept palmes environ de hauteur et d'une belle exécution. Sur le dessus du bloc il y a les effigies du duc et de la duchesse en plein relief d'albâtre ; à droite le duc avec un lion à ses pieds, à gauche la duchesse avec un chien ; les deux animaux — selon les moines — d'après nature. Pour un ouvrage moderne, c'est une très belle chose. »

Cette dernière remarque est assez exceptionnelle. Il faut sans doute comprendre : pour un ouvrage moderne d'outre-monts. Cet ensemble de statues de grand style pour le duc François II et Marguerite de Foix, les parents d'Anne de Bretagne et donc les grands-parents de la reine Claude, était achevé depuis 1507. Il s'agissait donc d'une nouveauté. Michel Colombe, son auteur, n'est pas nommé, mais la qualité des marbres et l'élégance des figures sont d'autant plus volontiers relevés que l'art de Colombe faisait écho en quelque manière aux formules italiennes, probablement en raison de modèles fournis par Jean Perréal. Le problème restait présent à l'esprit des voyageurs, car à Angers, c'est-à-dire au pays du roi René, ils purent voir le tombeau de ce prince décrit comme « de pierre noire avec les deux figures en relief au-dessus d'un marbre si fin qu'on dirait de l'albâtre ». Une parenthèse rappelle que ce prince avait été en son temps le rival d'Alphonse d'Aragon à Naples. La précision sur le matériau des statues veut sans doute corriger l'erreur précédente à propos du tombeau de Nantes, qui décrivait tout en albâtre.

La dernière tombe monumentale française qui fut examinée avec intérêt se trouvait à Bourges, dans la Sainte-Chapelle (disparue au XVIIIe siècle) ; moins grande que celle de Paris, elle enfermait le monument funèbre du duc Jean de Berry (mort en 1416), « un grand ouvrage de marbre de sept palmes de haut au milieu du chœur ». C'est un siècle en avance le parti qui a été observé pour Charles VIII qui ramasse en quelques mots la petite étude de style conduite par les voyageurs : « Ni en Allemagne du Sud, ni dans celle du Nord, ni en France, nous n'avons vu de tombeaux à la manière italienne, c'est-à-dire dressés sous des arcades prises dans le mur et travaillés de façon grandiose, mais seulement des tombeaux à quatre faces plus ou moins hauts et posés sur le sol. » On trouverait difficilement ailleurs une remarque de ce genre concernant la forme des sépultures. La tombe pariétale, richement ornée, pouvait certes être considérée comme spécialement italienne, au moins depuis le Trecento, à Naples comme à Florence, on en connaissait de grands exemples. Mais la formule du bloc isolé existait dans la péninsule, ne serait-ce qu'avec la tombe d'Ilaria par Jacopo della Quercia à Lucques. Au surplus, Luigi devait avoir entendu parler du projet d'un certain Michel-Ange conçu vers 1506 pour le tombeau de Jules II ; dont il n'était d'ailleurs plus question sous Léon X. Mais ce qui fait surtout la différence, pour de Beatis, c'est la nature de l'ornement : on ne trouve pas ici les pilastres, les acanthes, les *putti* et les niches de l'art méridional.

A la Chartreuse de Pavie, Luigi et les siens feront un retour en arrière vers la Chartreuse du Dauphiné mais en constatant une installation un peu moins rustique. Quant à l'église, c'est « la plus belle, la plus brillante, la plus charmante que nous ayions vue de tout le voyage » : marbres, pavements, vases et décor des autels, reliquaires... enfin, tout y est merveilleux. La façade, qui n'est pas encore achevée, possède reliefs et médaillons de porphyre et de serpentine tout à fait somptueux. Le goût personnel parle enfin. A l'intérieur, le tombeau de Jean Galeas Visconti (achevé seulement en 1497) aurait pu fournir l'occasion de revenir sur le problème des sépultures monumentales. Mais l'attention du cardinal ou celle du chanoine de Beatis — on ne sait — s'est portée exclusivement sur le type trop jeune du gisant et plus précisément sur « les poils longs et frisés de la barbe, la plus bizarre production de la nature », et ils n'ont pas aperçu l'analogie de la structure de ce tombeau isolé avec le modèle français.

La conclusion n'était pas loin. Dans l'église de San Pietro in Ciel d'Oro, toujours à Pavie, il y a la tombe monumentale de saint Augustin. Elle est fortement détachée du mur, large de trois pieds, couverte de fines sculptures et d'incrustations, mais aucune comparaison n'est possible avec rien. L'art de cet ouvrage — qui remonte, en fait, au XIVe siècle —, « aucun maître moderne ne peut y atteindre. Les experts tiennent ce sépulcre pour le plus bel objet d'Italie, et il n'y a plus lieu de prendre l'étranger en compte ; car ce qui ne se trouve pas en Italie ne sera jamais trouvé ailleurs ». Après dix mois de pérégrinations, de visites, de découvertes, d'analyses plus ou moins poussées et d'informations courtoisement accueillies, le doute n'est plus possible. C'est en Italie que les problèmes doivent être résolus.

A Notre-Dame des Doms l'*Itinerario* a relevé correctement le fait que « plusieurs papes morts à Avignon durant le séjour du Saint Siège dans cette ville, sont enterrés dans des chapelles ». L'église même retient peu l'attention : elle est trop trapue, car on n'a pu bâtir en hauteur à cause du mistral, et étroite car le rocher des Doms ne permettait pas l'extension ; ces explications sont curieuses. Mais du moins, on relève que les vingt chanoines qui en ont la charge portent chape et rochet, comme ceux de Saint-Pierre de Rome. Toute la description du Palais des Papes est intéressante à cause de la comparaison systématique avec le Vatican : six grosses tours le flanquent, comme la tour Borgia au palais romain ; « la chapelle est plus grande et plus élevée que n'est la chapelle Sixtine à Rome ». Pour le reste, un véritable labyrinthe, avec des caves et des défenses impressionnantes. La visite a été attentive, puisque les voyageurs ont passé quinze jours dans la cité pontificale. Ils ont noté le mauvais état du Palais, où beaucoup de salles sont en ruine. Le légat, François de Castelnau, cardinal d'Auch, a entrepris des restaurations.

Ce n'est pas sans un sentiment de sympathie que nous voyons Luigi se transformer tout au long de son circuit en inspecteur général des orgues de la chrétienté. C'est entendu, il est napolitain, il est musicien, il est l'un des plus ardents propagateurs de la musique moderne à l'église et dans la vie profane. En quoi il s'accorde parfaitement avec le pape Médicis. On oublie trop l'immense développement de la musique à la Renaissance : l'édition musicale à Venise, le chant choral un peu partout, et le rôle des promoteurs comme ce cardinal intelligent et esthète. Quand il a un présent original à offrir à Léon X, c'est un petit orgue portatif. On le sait par le récit des fêtes du carnaval de 1519 — quelques semaines après la mort du cardinal. L'orateur, c'est-à-dire l'ambassadeur de Ferrare, décrit le décor de la comédie de l'Arioste qui fit rire le pape de si bon cœur, et précise qu'à l'entracte on a eu un petit concert de luth, fifre, viole et «d'un petit orgue offert au pape par le cardinal d'Aragon». Sans doute celui que nous l'avons vu commander à Brixen.

En pleine montagne du Tyrol, on s'arrête pour commander, moyennant des arrhes, un petit orgue chez le bon facteur. A Innsbruck, c'est l'enthousiasme devant l'orgue de l'église Saint-Jacques, qui possède de si charmantes et parfaites voix d'oiseau (il avait été remonté en 1497). A Constance on a la chance d'examiner un superbe instrument en cours de montage : 3400 tuyaux. Le cardinal fait mesurer les plus grands : 5 palmes. A Strasbourg, on le note en passant mais on ne s'y attarde pas, car il faut monter les huit cents marches de la tour. A Spire, on ne manque pas l'instrument nouveau à nombreux jeux. A Angers, autre expérience intéressante : un grand orgue qui ne le cède en taille qu'à celui (en cours) de Constance, et un plus petit, aux sonorités charmantes mais inférieures en qualité à l'instrument aux voix d'oiseau d'Innsbruck. Bien entendu, on se fait donner à chaque fois un petit concert. Une dernière expertise est signalée dans le Journal à Saint-Antoine-en-Viennois, l'hôpital des syphilitiques et des « ardents ».

L'intérêt du cardinal pour la musique d'église apparaît à chaque étape importante. Il venait manifestement s'assurer des progrès de la technique et de la qualité des résultats. De Beatis n'était probablement pas aussi passionné de ces questions que son maître. C'est seulement *in extremis*, dans le tableau récapitulatif sur la France, qu'il signale l'organisation des maîtrises, la pratique (seulement française ou générale outre-monts, on ne comprend pas très bien) des petits chanteurs « tonsurés », vêtus de bure et occupant superbement l'espace sonore des cathédrales.

Dans la vie, dans la culture et dans l'art de cette époque la musique était partout ; dans toutes les cours de l'Italie à Ferrare, à Mantoue, à Naples, les concerts avec soli et chœurs, les accents du luth et les chansons accompagnaient les réunions, les repas, les cérémonies. A Naples, en particulier, les princes d'Aragon avaient développé la musique instrumentale tant au palais qu'à l'église. Aloysius passait à juste titre pour un grand connaisseur. Il fit poser à l'église des Saints-Apôtres de Rome une plaque en l'honneur d'un musicien « qui fut trente ans au service des rois d'Aragon » (août 1505). Cette compétence, que l'*Itinerario* confirme bien, l'avait rendu particulièrement cher au pape Médicis, dont toutes les chroniques attestent l'amour passionné pour les instruments à cordes et pour l'orgue. A Florence, dans sa jeunesse, Léon avait travaillé avec Heinrich Isaac, le grand musicien flamand; il composait, il récompensait les exécutants de telle sorte que sa réputation de mélomane était répandue partout. C'est le moment où les chœurs de la chapelle Sixtine, avec quelque trente voix, connurent leur plus haute réputation. Sous la voûte de Michel-Ange nous devons restituer en imagination les hymnes chantés *a capella* avec leurs aigus, leurs vibrations, leur pureté vocale.

Les indications de l'*Itinerario* sont donc en plein accord avec ces préoccupations. La musique faisait depuis toujours partie des usages liturgiques dans la chrétienté. Mais pour ces grands amateurs, elle représentait aussi la perfection d'un mode de vie, une exigence bienfaisante pour l'âme. Elle apportait un bonheur légitime à l'homme d'Église. Selon une formule que l'on rapporte de Léon X et qui devait parfaitement convenir à son cardinal napolitain, « la musique et la gaieté prolongent la vie ». Il faut, comme l'enseigne la musique, savoir refuser l'accès aux soucis et aux douleurs. Le bonheur serait-il un devoir ?

IX

Cuisine et jolies femmes

Dans aucun des journaux de voyage contemporains, on ne trouve la même attention à la table. Un peu par hasard, grâce à une digression à propos de la cuisine flamande, nous apprenons un fait capital : « Monseigneur avait avec lui deux cuisiniers. » Avec le fourrier qui partait en avant assurer le gîte, partait aussi un des cuisiniers pour prévoir les repas. On ne pouvait pas se fier aux habitudes locales ; les voyageurs n'ont jamais eu à s'y plier, sauf deux fois, pour faire des expériences : « Une fois en Allemagne et une fois en Flandre pour de la viande et du poisson, nous avons goûté leur cuisine, nous les avons moins aimées que celle de la France, qui connaît mille recettes et sauces pour donner plus de saveur à la nourriture. »

Pendant la traversée de la Bavière, de la Souabe et des régions du Rhin, l'*Itinerario* indique les lieux des repas mais non les menus. Ceux-ci apparaîtront avec la France. Toutefois, dans le « tableau de l'Allemagne », nous saurons qu'on y trouve partout en dehors de la boisson courante, la bière, « des vins blancs et rouges excellents et délicieusement parfumés de sauge, sureau et romarin », *(salviati, sambucati* et *rosmarinati),* ce qui est à retenir et peut poser des problèmes aux œnologues ; au surplus, jusqu'à Cologne le vin n'est pas cher et le veau d'ailleurs non plus ; celui-ci est si bon marché qu'on a pu en avoir dans certains endroits quatre pour un ducat. Toutefois, arrivant à Schaffhouse, on a aussitôt observé que les bons saumons du Rhin vont commencer.

En Flandre, le vin est plus cher, mais on en trouve dans les auberges ; la viande, ce sont les poulets, beaucoup de lapins, peu de perdrix. Et c'est là, à propos des sauces, que De Beatis révèle l'existence des deux cuisiniers et le grave problème des assaisonnements. La troupe ne se fiait donc pas à la cuisine locale. Mais quand on parle d' « un excellent dîner » à Malines le 29 juillet, qui l'a cuisiné ? En Normandic, on goûtera le cidre, on visitera des caves avec de grands foudres à Lisieux ; mais cette boisson « si elle est plus agréable que la bière, n'est pas aussi saine ». Pourquoi ? A cause du houblon qui donne du corps à cette dernière.

L'éloge des vins français n'est plus à faire. Du nord (« dès l'Ile-de-France », précise le texte) au sud, il y a d'excellents vignobles et une grande variété de vins ; le rouge dit « clairet » est le plus agréable, « léger et rafraîchissant, je n'ai jamais rien goûté de pareil ailleurs », écrit De Beatis. Donc, honneur à ce qui pourrait être, si le terme anglais actuel ne nous abuse pas, le vin de Bordeaux. Les fruits sont appréciés, en particulier l'excellente poire d'hiver dite « Bon chrétien » et des muscats parfaits à Antibes *(perfectissimi muscatilli)*. A Avignon, des figues et des raisins noirs ont mérité l'éloge suprême : on ne trouverait pas mieux à Naples. Quant aux légumes, on a vu à Blois des salades, choux et endives dignes d'admiration. Passant à Gênes, on n'oublie pas de mentionner et, ce qui est merveilleux, de décrire avec « sa peau ridée et sa chair tendre » la petite poire d'hiver [nous sommes en décembre] dite « bergamotte ».

En Normandie sont signalés quelques bons repas de ce cardinal gourmand et jouisseur.

« Nous y restâmes deux jours car on y faisait bonne chère », écrit Antonio à la date du 15 septembre. C'était à Lisieux, la saison était favorable. Les poissons et les fruits de mer alternent avec la volaille. Cinq jours plus tard, à Neuilly-la-Forêt, on se régale de chapons. Toute une journée. A Rennes la semaine suivante, à la table du comte de Laval, on goûte au marsouin « qui a la taille, la saveur et le nom même du porc [= cochon de mer]. » Le Journal ne donne plus de menus particuliers, avant l'exposé final sur la cuisine française.

Tout ce qui est préparé dans ce pays vaut la peine : potages, pâtés et tartes. Et pour la viande... un régal. Voici ce qu'on nous en dit :

> « La cuisine française est bonne, à base de veau et de bœuf, mais aussi de mouton, c'est-à-dire de *castroni,* qui sont les meilleurs. Pour une épaule de mouton rôtie aux petits oignons, comme ils savent faire dans toute la France, on abandonnerait toute autre espèce de viande, si délicate fût-elle. Perdrix, faisans, paons, lapins, chapons et poulets ne sont pas chers : ils abondent et sont bien préparés. Du gibier de tout genre et le plus gras qu'on ait jamais vu, car ils ne chassent pas la sauvagine hors saison. »

Nous ne connaissons pas d'autres textes au XVIe siècle où une appréciation si sereine, si encourageante et autorisée, ait été donnée de l'art de la table dans notre pays. Cet éloge du gigot rôti aux petits oignons *(spalla di montone arrosta con grazzetti)* mérite la publicité. Et qu'on ne s'imagine pas Luigi comme un gourmand invétéré faisant tache au Sacré Collège. Léon X, nous l'avons dit, était une bonne fourchette. Mieux encore, les régimes bien étudiés étaient considérés comme une nécessité, une préoccupation légitime. L'imprimerie était à peine installée à Rome qu'un livre de cuisine et d'hygiène destiné au haut clergé sortit des presses (vers 1475) ; son auteur était le grand bibliothécaire de Sixte IV, Platina. Son traité *De honesta voluptate et valetudine* expose que pour mener une existence digne, il faut une vie saine et donc une table bien fournie et équilibrée. L'ennui est que, par un zèle humaniste un peu naïf, les recettes y étaient souvent recopiées des Anciens, par exemple pour les poissons de mer et le poulet à la sauce piquante. Le voyage de Louis d'Aragon lui permit certainement des expériences sérieuses dans les bonnes maisons.

Nous pouvons faire la comparaison avec les notes de voyage d'un clerc qui allait jouer un rôle important dans la lutte de Rome contre la Réforme luthérienne, mais qui était encore à la recherche d'un protecteur : Jérôme Aléandre. Au cours de déplacements de Paris à Liège, il tint un carnet de comptes pour tous ses achats et dépenses, sans aucune allusion aux sites, aux demeures ; non, les préoccupations d'un intellectuel sont l'achat de chaussures (*caligas* — il écrit en latin), les locations de chambres ou les honoraires attendus de ses élèves. Par comparaison, on mesure combien le cardinal se veut dans la vie à un niveau plus élevé, du fait de la naissance et de la richesse, et comment cet avantage permet un regard plus large, une curiosité autorisée du côté des Grands.

On lit dans ce carnet, à la date du 29 novembre 1514, au sujet d'une étape à Meaux sur la route de Mézières et Dinant :

> « Une affreuse hôtesse m'a extorqué beaucoup d'argent pour une petite collation avec deux œufs au déjeuner et un chapon seulement au dîner ; nous n'avons eu que deux pintes de vin grâce au sieur ministre des Maturins [un prêtre des Tri-

> nitaires] qui m'a donné un grand cruchon, et à Nicolas Lesueur [un prêtre élu à l'épiscopat] deux quartes avec un lapin et une perdrix ; ledit Sueur, élu de Meaux, a dîné avec moi. »

Les problèmes de la table quotidienne sont évoqués ici par quelqu'un qui a du mal à se faire bien servir, ce qui n'apparaît évidemment jamais dans le circuit du cardinal.

Nous ne connaissons pas non plus de textes contemporains où soient observées et jaugées avec autant de régularité l'allure et la prestance des dames, celles qu'on voit dans les rues des bourgs ou dans les réunions mondaines. Probablement les deux, quand nous lisons : « A Constance, les femmes sont belles, enjouées et ont une conversation charmante », ou encore : « Les maisons, les rues, les places de Chambéry sont jolies, les femmes y sont belles. » Inversement, à Abbeville, par exemple, « les femmes sont très laides » ; elles ont la mauvaise idée de porter sur leurs voiles des barrettes qui n'arrangent rien. Aucune appréciation n'est donnée — chose un peu étonnante — des Parisiennes. Mais parmi « les plus belles femmes de France », nous saurons qu'il y a celles de Lyon. Rien de comparable toutefois avec la description enthousiaste des beautés de Gênes : « Grandes, de belles dents, une chevelure d'or, parfois flottante, parfois attachée de façon particulièrement saisissante... » ; cela donne de bien jolies soirées ! Tous les voyageurs ont confirmé cette appréciation flatteuse. J. Fichard, dans son *Iter romanum* (il est en Italie vers 1536-1537), déclare qu'elles sont aussi parées et fardées que possible, ces dames de Gênes : « Ah ! s'écrie-t-il, que de fards *(quantum figmentorum)* ! » L'*Itinerario* est à peine moins technique.

Avec beaucoup de sérieux, les trois tableaux récapitulatifs font par trois fois le point sur la question, avec une petite analyse sociologique de la vie féminine dans chaque contrée. En Allemagne, les femmes soumises au travail domestique sont sales et mal vêtues ; pourtant belles et aimables et même — on l'a vu —, « malgré un air de froideur, elles sont voluptueuses ». Dans la rue, elles vont nu-pieds avec des jupes étroites, elles relèvent leurs cheveux sous des bonnets. La différence est grande avec les grands chapeaux et l'allure majestueuse des dames de qualité. On peut lutiner les servantes d'auberges, mais — on l'a vu aussi — elles ne se laissent pas embrasser comme les Françaises.

En Flandre tout est en ordre et bien tenu, à commencer par le vêtement féminin : des jupes de serge noire moulent le corps au-dessus d'un jupon qu'elles relèvent au travail. Grandes, d'un teint rose et blanc, elles ont seulement de mauvaises dents, « peut être à cause du beurre et de la bière », explique notre Méridional, mais cela ne gâte pas leur haleine. Des propos de connaisseur, mais qui faisaient partie, au fond, de l'information générale.

Pour la France, l'analyse est moins directe et plus complexe. Au total, « les femmes sont généralement belles, mais moins qu'en Flandre ; elles ont de la grâce et de l'agrément. On les embrasse sur les deux joues en hommage courtois ». Et voici le point nouveau : « On donne de nombreux banquets, les dames de la noblesse locale — toujours nombreuses — dansent avec une grâce extrême et un sens parfait de la musique. » C'est dans les soirées et les fêtes que le charme se révèle véritablement. Les Napolitains ont quelques beaux souvenirs, surtout sur le chemin du retour. Dès que les voyageurs s'attardent un peu, les silhouettes féminines sont dessinées avec plus de précision. Les quinze jours passés à Avignon ne sont pas perdus pour le plaisir des yeux ; après une remarque critique sur les cailloutis qui fatiguent le pied, on lit : « Les femmes sont fort belles ; elles sont vêtues à la française mais au lieu des chaperons d'usage en France, elles portent en général une coiffure particulière beaucoup plus jolie. Les dames sont nombreuses au palais et plus que charmantes. » Et c'est justement à Avignon qu'il y eut une fête agréable : le dernier soir « le cardinal-légat donna un banquet public au Palais ; beaucoup de jolies femmes y assistèrent ; après le dîner on dansa jusqu'à minuit avec la plus grande licence et de plaisantes lascivités ». A Milan, le gouverneur français,

Lautrec, donna en l'honneur des voyageurs « un banquet somptueux avec quarante dames nobles, toutes belles ou, du moins richement habillées et gracieuses ».

Cette dernière notation est une ouverture précieuse sur la condition féminine à la Cour de France. Partout il convient que les dames apparaissent avec un éclat, des parures, des vêtements qui signalent leur rang et enchantent les visiteurs. Elles ont un devoir de parade. Ce fut, comme on sait, l'une des grandes idées du règne qui commençait, que de créer à la Cour un rendez-vous de la grâce et de la beauté. Les choses n'en étaient apparemment pas encore là, le cardinal l'aurait souligné. Mais on voit naître chez les Français l'intention de rivaliser avec les Cours de Mantoue et de Ferrare où dominaient de grandes dames très au fait des questions de mode et de haute couture, superbes organisatrices de banquets, bals et réceptions, informées de musique et de poésie comme personne.

Une indication intéressante est contenue dans un petit fait de l'année qui suivit la visite de Luigi à la Cour de France ; ce fut l'arrivée en France d'un légat de grande classe, un ami intime du pape : le cardinal Bibbiena. Admirateur et protecteur attitré de Raphaël, il apportait au roi François un portrait qui fascina la Cour : le modèle accompli de la beauté féminine, reconnu par tous, célébré par les poètes, par les traités, la somptueuse Jeanne d'Aragon (1500-1577), petite-fille de Ferdinand Ier de Naples et donc cousine germaine du cardinal.

Raphaël avait dirigé cette réalisation, en envoyant prendre le carton sur le modèle à Naples, où résidait cette jolie femme qui passait pour la merveille des merveilles, une Madame Récamier de l'époque. Le costume dont le peintre l'a dotée est un appareil de soie et de brocart sensationnel. Faut-il penser que Luigi, ayant bien jugé les goûts du roi et de sa Cour, a pu suggérer ce cadeau de choix ? Bibbiena était son collègue et son ami.

Le cardinal avait une idée plutôt critique de la société française, si nous en croyons un texte d'Antonio de Beatis qui sera cité plus loin. Mais quelque chose unit en France toutes les classes de la société : le goût du plaisir. Le secrétaire insiste bien sur ce point : « Tous les Français aiment s'amuser et vivre joyeusement. Ils prennent à la table, à la boisson et à l'amour tant de plaisir qu'on ne sait comment ils arrivent à faire quelque chose de bien. » Cette observation capitale fait tout le sel du tableau de la France, qui clôt le compte rendu avant l'entrée en Italie. Il s'agit moins d'un reproche que d'une constatation.

Les Français ont donc déjà une bonne réputation en ces domaines. De Beatis n'a pas noté tout ce qui se passait dans les auberges. Une allusion aux bonnes fortunes de certains membres de l'équipage en Allemagne et les remarques sur le comportement agréable des servantes nous informent incidemment sur les mœurs. Aucune anecdote scandaleuse ne jette une note à la Brantôme. L'*Itinerario* ne dit rien des courtisanes, tout simplement parce que cette catégorie féminine, si florissante à Rome et à Venise, n'existait guère sous la même forme en France. Le Journal est d'une grande tenue. On considère trop vite les princes de l'Église à la Renaissance comme des modèles d'impudicité. A Rome, ville cosmopolite où des milliers de visiteurs, d'étrangers, de clercs et de non-clercs, allaient et venaient tout au long de l'année, les autorités ne pouvaient contrôler que le contrôlable ; dans toutes les grandes villes il y a une pègre et des filles. On faisait une place à part aux *cortegiane oneste*, c'est-à-dire aux courtisanes bien achalandées, musiciennes, cultivées, celles dont plus tard Montaigne appréciera la compagnie. Les mœurs étaient indulgentes et simples : le banquier Agostino Chigi invitait l'illustre et brillante Imperia, qu'admiraient Sadolet et des membres de la Curie. Ces dames entraient moins souvent au Vatican ; l'époque désordonnée d'Alexandre VI était déjà loin.

Une tradition assez ancienne mais difficile à contrôler entièrement veut que la poétesse-courtisane Tullia d'Aragon (1508-1556) ait arboré ce nom royal parce qu'elle était la fille du cardinal, ce qui n'a rien d'impossible ni, aux termes de l'époque, de scandaleux. Sa mère, Giulia Ferrarese, une *cortigiana onesta,* passait pour la maîtresse en titre du cardinal. La position exceptionnelle de Tullia dans le milieu romain, sa distinction, son charme et sa culture, parlaient, en somme, en faveur de la paternité de Luigi, mais les faits sont plus compliqués. Mariée tardivement à Sienne en 1543, elle est donnée sur l'acte d'état-civil comme fille d'un Costanzo Palmieri d'Aragona. Pour assurer un nom à la petite fille, Giulia aurait donc à un certain moment épousé quelque cousin éloigné du cardinal ou un personnage du même nom. Possible, après tout. Le fait est que, si l'on a beaucoup écrit sur Tullia, que courtisèrent bien des poètes en renom, on a finalement fort peu jasé sur la conduite du cardinal. Et pourtant, Dieu sait qu'à Rome la malice n'épargnait personne.

X

Le pittoresque du monde

« De Ferrare à Ferrare, le circuit accompli du 29 mai au 26 janvier suivant représente — nous dit l'*Itinerario* — 476 milles italiens [on compte cette unité à 1,79 km], et 201 milles allemands, ce qui sur la base de cinq pour un, fait : 10005 milles italiens. Plus 565 lieues françaises, ce qui, à raison de trois milles italiens par lieue, donne 1605 et conduit à un total final de 3176 milles italiens. » Les variations de toutes ces unités à l'intérieur de chaque contrée rendent le calcul approximatif. J. Hale conclut à 3387 milles soit plus de 5400 kilomètres. Aloysius avait toujours beaucoup voyagé. Son secrétaire-chanoine beaucoup moins. Monseigneur était au courant de tout. De Beatis enregistre de son mieux les observations des voyageurs, mais on ne trouve pas toujours dans ses notes la pointe un peu forte, le commentaire original qu'on aimerait rencontrer. Cette limitation qui est celle de l'époque, peut donner facilement un aspect superficiel à un journal comme celui-là, mais même avec cette sécheresse, l'*Itinerario* se révèle plus attachant que la plupart des textes comparables, parfois par plus d'informations. Certains traits de curiosité et de sensibilité sont trop particuliers pour ne pas être mis en rapport avec la personnalité de Louis d'Aragon, d'autres correspondent à des réactions simples et sympathiques de voyageurs bien nés.

A l'auberge de Poissy, raconte de Beatis, « nous fîmes la rencontre de frère Jean, un chevalier et prieur de Rhodes, qui possède une grande fortune et qui a été un fameux capitaine et corsaire. Il était de passage. C'est un bel homme, fin de visage et de silhouette, et d'une belle santé pour son âge ; il a plus de soixante-dix ans. »

Notre texte est des plus divers par ses notations mais, sur beaucoup de points, coïncide évidemment avec d'autres textes analogues. Un Italien, Andrea dei Franceschi, accompagnant l'ambassade des Vénitiens Giorgio Contarini et Paolo Pisani auprès de l'empereur, alors Frédéric III, avait tenu un journal, *Itinerario de Germania.* C'était en 1492. Leur route recoupe pour une petite partie seulement celle du cardinal ; passant à Innsbruck, ils notent « la grande beauté et l'extrême amabilité des femmes ». Ce ton laconique, qui est de mise dans ses carnets de voyage, est très proche de la manière d'Antonio de Beatis (L. Pastor). On connaît un autre *itinerario,* probablement (selon J.R. Hale) du même auteur défini à la latine : Andreas Franciscius ;

cette fois il se rend de Trente à Londres en compagnie d'un ambassadeur vénitien ; on remonte le Rhin pour arriver à Calais par Aix, Bruges... ; on y trouve les remarques sur les jolies femmes des Pays-Bas, le goût de la musique et la trouvaille des carillons, mais les visites aux « trésors » pleins de reliques et l'examen méthodique des orgues restent propres au Journal tenu par de Beatis.

On ne peut imaginer voyageur plus différent d'Érasme, l'exact contemporain de Luigi (1469-1536). On aurait pu penser que dans l'énorme correspondance de l'humaniste — qui avait traversé les Alpes, qui voyagea souvent et, par exemple, un an après le cardinal descendait le Rhin de Strasbourg à Bâle —, il y aurait des indications intéressantes à comparer. Rien. Quand il rentre de Rome et de Venise en 1508, Érasme jette de temps en temps des notes sur ses tablettes : c'est l'ébauche de la *Moria*, l'*Éloge de la folie.* Il est grincheux ; les déplacements sont pour lui l'occasion de maugréer sur l'inconfort, les dangers, le bruit de la route ou des auberges, la condition pénible d'un intellectuel tel que lui. Le paysage, il ne le voit pas ; les hommes et les femmes sont des figurants inévitables.

Autre cas : en 1492, Zaccaria Contarini se rend à la Cour de France, où beaucoup de choses se préparaient. Sa *relazione* n'est pas un *diario,* mais un tableau d'ensemble, comme ceux qu'ont rédigé Machiavel après sa légation en France et beaucoup plus tard Le Tasse au retour de son voyage. La *relazione* de

Contarini inaugure le portrait cruel et pince-sans-rire. Il s'attarde sur le physique de ces souverains petits, mal faits et pleins de tics ridicules : Charles VIII, âgé de vingt-deux ans, et sa reine qui en a quinze. Les Italiens, comme on sait, ne pardonnaient pas à Charles de ne pas avoir le physique du conquérant qu'il prétendait être. Le cardinal eut beaucoup plus de chance avec les reines saluées à Innsbruck, avec Charles de Habsbourg et François Ier — encore que les détails défavorables n'ont pas échappé à sa malice.

A Nuremberg, nos Italiens ont manqué Dürer, mais ils ont savouré la fraîcheur et le parfum exquis des tilleuls. Pins et sapins, la Forêt Noire ne les a pas tellement impressionnés mais, à vrai dire, elle s'étend plus à l'est de la route suivie. A Nieuport, ils ont galopé le long du rivage pour observer le phénomène de la marée basse, si étonnante pour des méditerranéens ; étudié la nidification des hérons (cigognes) à Breda et les gros esturgeons pêchés en eau profonde sur le marché d'Anvers. On a recueilli après Poissy la légende du bois de Ganelon qui ne flotte pas. La silhouette pyramidante du Mont-Saint-Michel avec ses maisons en grappe sur la grève leur a paru étonnante. A Pont-Saint-Esprit, ces grandes arches de belle pierre leur ont tellement plu qu' « un de nos palefreniers s'est mis à le mesurer à la ficelle ». Dans le port de Marseille il y avait un « très beau galion appartenant à un chevalier de Rhodes provençal, le frère Bernardin... » ; on a visité ce beau bâtiment « armé de douze canons, douze fauconneaux et cent arquebuses », et le cardinal s'est entretenu avec Frère Bernardin de choses importantes *(di gran cose).* On a apprécié le gigot aux petits oignons que les Français préparent si bien. Telle est l'ouverture, la disponibilité, la fraîcheur de ces voyageurs.

Il n'y a, en fait, d'exceptionnel dans le parti général du *Diario,* que sa richesse. Il y avait depuis le XVe siècle dans l'Occident une sorte de schéma des journaux de voyage, suivi par tous ceux qui ont envie ou se font un devoir de consigner leurs impressions. Par exemple, Jérôme Münzer, le marchand de Nuremberg, qu'on a cité à propos de la Sainte-Baume, donne en quelques lignes, dans son *Itinerarium,* un aperçu récapitulatif de la province dite « Langedock », si prospère qu'elle envoie blé et vin en Angleterre et en Flandre, puis de Toulouse, ville « deux fois plus grande que Nuremberg » et d'une richesse agricole exceptionnelle ; vue du haut du clocher de Saint-Saturnin, elle est magnifique. On serait tenté de faire compliment à ce Souabe d'avoir eu l'idée de grimper au clocher pour voir la ville. Mais De Beatis nous a appris que son cardinal fit de même. C'était une pratique générale.

On fait toujours dans les grandes villes l'ascension des monuments élevés. Ainsi, à Strasbourg, ce campanile

« qu'ils appellent tour ; très haut, bien plus haut que la coupole de Florence, la tour de l'Asinella à Bologne et même que le campanile de Saint-Marc à Venise... Tout armé de fer avec des pierres liées sans mortier. On peut y monter sans peine aux quatre côtés par un escalier à vis. Sa Seigneurie monta jusqu'à la moitié ; nous comptâmes plus de huit cents marches d'une palme de haut... ».

Même souci de grimper, complètement cette fois, au beffroi de Gand, aux tours de Notre-Dame-de-Paris, et pour finir au *tiburio* de Milan, « d'où il apparaît à mon avis que la ville n'est pas plus petite que Paris, en circonférence ». Tels sont les efforts consciencieux recommandés pour le tourisme. Il en sera de même pour la montée extérieure à Sainte-Catherine de Rouen : « Sept cent soixante-dix marches, avec de vingt en vingt un palier de repos d'environ dix palmes, car la montée est fatigante : sans être très large, il est beau, avec çà et là des emmarchements et des flancs déjà abîmés. » Il s'agit du couvent de la côte Sainte-Catherine, dit de la Trinité, à l'est de la ville. Rien d'original. Dans l'*Itinerario* de Münzer on relève la même indication : « Nous avons grimpé du bas de la colline jusqu'au monastère avec 760 marches de pierre. Pendant que nous montions il y avait foule ; c'était le dimanche de *Reminiscere* pendant la Quadragésime. »

La description des villes, il faut l'avouer,

reste sommaire et semble conventionnelle. On retrouve les mêmes éléments, parfois plus poussés, parfois moins, chez d'autres voyageurs qui ont eu la bonne idée de tenir un carnet de route. Mais, au fond, c'est la convention même qui est intéressante, avec les lieux communs dont sont faits les jugements et les souvenirs. De Beatis les a ramassés avec un sérieux d'autant plus appréciable que ses trois récapitulations socio-culturelles, Allemagne, Flandre, France, en forme de tableau d'ensemble, n'ont, pour autant que nous sachions, aucun précédent (L. Pastor), ou, du moins, soutient la comparaison avec tous les prédécesseurs ou contemporains qu'on peut examiner (J. R. Hale). Comme le voyage du cardinal est fait de trois grands épisodes, bien scandés par un long moment de réflexion, les termes de comparaison sautent aux yeux. C'est dans cette suite de vis-à-vis : (le Roi Catholique, le Roi Très Chrétien), de confrontations (villes mieux tenues ici, moins bien là), ou dans l'analogie des situations, la continuité des usages, que réside son intérêt majeur et même, vu la date précoce, son importance.

Luigi s'est trouvé depuis sa jeunesse à la bonne place pour apprécier ce que son époque avait d'étonnant. Les privilèges de la naissance et les conditions favorables de la Curie lui permettaient de nouer des attaches particulières avec les Grands et de considérer les événements moins comme des faits qu'on enregistre que comme des phénomènes à apprécier. Jeune cardinal, en 1499, il était allé en Espagne. Il y avait appris la découverte d'îles inconnues à l'Occident. Et ceci l'amena à financer une publication qui lui fait honneur, car elle est l'une des premières et des plus riches relations sur ce qu'on apprenait de la bouche des navigateurs.

Sans perdre son temps, Luigi s'était en effet abouché avec un clerc — il faudrait dire un journaliste — venu de Lombardie, répondant aux nom et prénom de Pierre Martyr d'Anghiera ; il lui commanda des relations *De orbe novo* (« sur le nouveau monde »), pour faire suite à celles qu'avait d'abord fait rédiger Ascanio Sforza. Voici la dédicace du rédacteur : « J'avais senti tomber mon ardeur à écrire. C'est vous, ce sont les lettres de votre illustre oncle, le roi Frédéric, qui l'ont ranimée. Goûtez donc ce récit qui n'est pas inventé, mais conforme à la réalité. Portez-vous bien. Grenade, le neuf des calendes de mai de l'an 1500. » Il s'agit dans ce texte de la description d'Hispaniola [Haïti], que l'on croyait, avec Colomb, être le pays d'Ophir dont parle le *Livre des Rois,* III, dans la Bible.

La neuvième lettre d'information, la dernière adressée au cardinal, date de quelques mois plus tard, car elle se termine assez cavalièrement sur cette boutade : « C'est probablement demain que vous allez ramener à Naples votre grand-tante. Vous avez le chapeau sur la tête, moi je suis fatigué. Gardez bon souvenir de votre dévoué Pierre Martyr... ». Ces textes devinrent autant de chapitres du recueil des *Decades de orbe novo,* dont des éditions sont signalées un peu partout. La neuvième lettre est passionnante. Elle relate le voyage des Pinzon, compagnons de Colomb, en 1499-1500 et restitue avec force détails l'éblouissement des découvertes : le bois rouge que les Espagnols nommèrent *brazil,* des épices aux propriétés étranges. Mais surtout, poussé par une curiosité pour les « ridicules superstitions », Pierre Martyr développe tout ce qu'il a entendu raconter sur les croyances des indigènes en déclarant ces « rêveries insulaires » plus intéressantes que les *Histoires fantastiques* de Lucien. Par la suite, cette « correspondance » d'actualité, d'une richesse impressionnante, passa sous le patronage de Léon X. On apprenait chaque mois des choses singulières de ce Nouveau Monde. Il y avait dans chaque île, puis dans chaque région du continent de Vespucci, un moine qui en quelques semaines apprenait les parlers des indigènes et les interrogeait sur leurs croyances. Des récits inédits circulaient ainsi en Occident.

Cela a pu encourager Luigi et sa troupe à prêter attention aux contes merveilleux du folklore français. Le secrétaire Antonio de Beatis a pris note à Rennes des contes et légendes de Bretagne de Guy de Laval. Celui-ci ne tarissait pas d'histoires, plus singulières et fantastiques les unes que les autres. Le chanoine, qui participait au repas, les a enregistrées sans sourciller. D'abord « celle de la cane et des canetons de Saint-Nicolas, une localité distante de quatre lieues ». Chaque année, à la fête du saint, arrive une cane avec ses petits, elle monte sur l'autel, fait quelques petits tours et s'en va en laissant un caneton qui disparaît mystérieusement. Malheur à qui veut gêner le manège de la cane. Autre histoire merveilleuse : le bois où rien de vivant ne subsiste, pas même une mouche. Qui tente de briser le charme, en meurt. Mieux encore : il y a une faveur concédée par le ciel aux fils aînés de Laval. A un certain endroit, sur la limite des terres comtales, une grande pierre est dressée près d'une source. S'il prend de l'eau dans ses mains et la jette sur la pierre, il pleut aussitôt, même par temps clair. Le comte l'a expérimenté lui-même. Ainsi entretient-on dans les châteaux d'anciennes légendes locales ; pour la fontaine-fée, elles reportaient tout simplement au bénéfice des Laval l'épisode magique de la forêt de Brocéliande dans le roman *Yvain* de Chrétien de Troyes. C'est à croire que ce que nous nommons le Moyen Age n'a jamais été plus vivant qu'en ce début du XVIe siècle.

Mais le dossier n'est complet que si les privilèges surnaturels concédés à la famille bretonne trouvent confirmation, en quelque sorte, par ceux des Rohan, leurs voisins. Guy l'exposa à ses hôtes : il y a une forêt de cette famille où vous trouvez partout, dans la section des arbres, dans les arêtes des poissons du lac, dans les pierres que l'on brise, dans le plumage des oiseaux, le blason des Rohan. Ils possèdent aussi un bois où un saint personnage de leur maison fut gêné un jour dans ses prières par le chant des rossignols et les maudit : depuis il n'y est plus entré un seul oiseau. D'ailleurs, ajoute le comte Guy, répondant peut-être à la surprise des auditeurs italiens, ces privilèges sont reconnus en quelque sorte juridiquement ; ils furent allégués par les deux illustres Maisons dans leur rivalité pour la présence au parlement de Paris. Elles l'obtiennent alternativement par décision royale. Il faut avouer que la noblesse française possède de rares privilèges.

Cette situation a dû impressionner les voyageurs car, dans le tableau final sur la France, de Beatis reviendra sur un des récits fantastiques de Rennes. Il s'agit de l'anatife ou bernacle, que le secrétaire propose aussi d'appeler : *zoppone,* et qui est pour la recherche moderne tout simplement l'oie sauvage ou puffin. On raconte que ce volatile naît du bois pourri des mâts engloutis et y reste fixé par le bec jusqu'à la poussée des plumes pour gagner la terre. On offrit d'ailleurs deux de ces gros canards « très charmants » à Monseigneur. Malheureusement, une fois expédiés à Marseille, on les a mal soignés et ils sont morts en route. Le Napolitain a consigné ici une vieille légende des pays de mer sur ces oiseaux de l'Arctique, qu'on ne voit évidemment pas se reproduire sur la côte.

L'amusant est la réflexion critique — l'une des rares remarques de ce genre — qui accompagne cette information : un animal doté de poumons ne peut vivre dans l'eau aussi longtemps, mais, comme l'évêque de Nantes a eu la gentillesse d'offrir des spécimens, il faut bien le croire : « *In tal caso la experientia contradice a la ragione naturale* » (ici l'expérience va contre les principes de la science de la nature). On reste perplexe ; le monde tel qu'on le découvre à l'âge de Luigi révèle tant de surprises qu'il faut tout accueillir les yeux grands ouverts. Avec une attention scrupuleuse sont notés les récits de miracles autour des statues et des reliques. Mais les *curiosa et rariosa* de la nature ne sont pas négligés. Dans des demeures septentrionales on vous montre, comme à Innsbruck, des « lièvres à six cornes ». Le Mont-Saint-Michel lui-même, présenté avec le récit des visions de saint Aubert et « le morceau de l'étoffe rouge de l'autel construit par Saint Michel lui-même », prend justement le caractère d'une « merveille ».

Les voyageurs ont ainsi enregistré plus de légendes et de traits folkloriques que la plupart des autres auteurs de journal. A la date du 27 novembre, l'*Itinerario* a gardé le souvenir général d'une histoire fantastique, mais sans retenir les précisions de lieu qui en auraient fait la saveur :

> « Selon les gens du cru, il y avait autrefois une montagne qui s'effondra et engloutit toute une ville coupable du vice abominable et hideux de sodomie. Ainsi l'avait voulu le Seigneur qui manifeste souvent dans notre misérable monde

d'une main puissante sa présence et sa justice pour conforter les justes et servir d'exemple aux pécheurs. Cette montagne que nous avons escaladée à cheval avec beaucoup de difficulté pendant un demi-mille (italien), offre le spectacle d'un effondrement qui serait tout récent. »

Le trou de mémoire d'Antonio de Beatis ne permet pas de contrôler la légende dont il s'agit ; nos voyageurs, sensibles au merveilleux, ont recueilli une explication saisissante des enchevêtrements rocheux rouges de l'Estérel. Pourquoi la punition de sodomites, dont nous ne trouvons ailleurs aucun écho ? Mystère.

A côté du fabuleux qui affleure dans les récits et du merveilleux qui entretient les dévotions multiples — il est vrai, un peu incohérentes — du peuple chrétien, il y a un autre domaine auquel le cardinal est réceptif : celui des techniques. Avec enthousiasme, la troupe est allée visiter l'atelier de fonte d'Innsbruck, où se préparait le grand mausolée à statues de bronze des Habsbourg. De même pour l'usine d'armements et l'arsenal de Nuremberg. Et pour les orgues, industrie renommée du Nord, nous savons déjà ce qu'il en est. Les horloges sont à la mode ; elles sont répandues en Allemagne dans les moindres villages, et avec carillon en Flandre. Mais les remarques portent aussi sur les équipements, les véhicules : les puissants chariots du Rhin « qui portent plus de marchandises que quatre de Lombardie », les recettes comme la lutte contre les punaises dans les maisons allemandes. Ailleurs, on décrit de curieuses machineries comme celle du couvent bénédictin de Sainte-Catherine à l'est de Rouen. Au centre du cloître il y a un puits profond et le mécanisme d'alimentation est décrit avec la précision d'un disciple de Léonard de Vinci :

> « L'eau est tirée par une grande roue qui tourne avec deux autres, petites, où sont attachées les cordes de deux très grands seaux, qui montent et descendent alternativement. La grande roue est actionnée par des chiens dressés qui obéissent comme des gens aux ordres de la voix et si intelligemment que, dès que le sceau plein émerge, ils sortent hors de la roue. Ce sont de grandes bêtes : il en faut au moins trois ou quatre pour faire fonctionner la roue non sans peine ; mais on peut aller jusqu'à huit. C'est un spectacle ! »

L'industrie, la production des objets de consommation n'est pas méprisée, loin de là : explication détaillée, par exemple, de la fabrication des draps en Hollande et en Flandre ; cela ne surprend pas. La fête du lin est gentiment rappelée, et cette observation pertinente : « Si on ne recevait pas du lin et du chanvre de Russie ou d'ailleurs, celui qui pousse en Flandre n'y suffirait pas. » Les chapeaux de Bruges : « Poilus ou lisses comme la soie, ce sont les plus beaux du monde » (la formule est un peu passe-partout, mais enfin elle est éloquente).

En France même, on n'a rien observé de comparable, mais parfois le Journal enregistre un détail curieux qui a frappé les voyageurs. Au Palais des Papes d'Avignon, avec ses caves à n'en plus finir, il y a des chaînes et des barres de fer partout. « On calcule un total de 300000 quintaux » (à 50 kg le quintal). Une remarque de guide prise au sérieux, peut-être un peu vite.

Les voyageurs s'intéressent partout à la technique et, par exemple, après Donzère, font un détour pour voir le pont de Pont-Saint-Esprit : « Avec vingt grandes arches larges, fort bien bâties dans une très jolie pierre, et admirablement pavé. Un de nos palefreniers le mesura à la ficelle : il y a quatre cents pas, calculés à bras étendus ; il est plus large et plus droit que celui d'Avignon, mais moins long. » Même opération à la cité pontificale : avec ses vingt-trois arches, le fameux pont a quatre cent soixante-dix cannes ; il est si bien pavé que les cavaliers l'évitent parce que le sol est glissant. Mais surtout, les limites juridiques étonnent De Beatis : « Je n'ai pas pu découvrir la raison pour laquelle la juridiction de l'Église ne s'étend pas jusqu'à la moitié du pont, comme il conviendrait. Les rois Très Chrétiens ont dû faire une usurpation anciennement. Les Juifs peuvent avancer jusqu'à la limite, mais, s'ils mettaient seulement le pied sur le côté français, ils pourraient être tués impunément. » Tout a été regardé d'autant plus attentivement que Luigi est un cardinal romain et qu'Avignon est terre pontificale.

L'archéologie ne joue pas un grand rôle dans le voyage. A une petite distance de Fréjus, dit le texte, il y a « un amphithéâtre qui n'est pas trop en ruine, des aqueducs et autres vestiges antiques, car c'est la région qu'appréciaient grandement les Romains pour son agrément et son commerce, et qui font justement appelée *provincia Romanorum* » ; un peu d'étymologie, en passant. A Aix-la-Chapelle, on a visité le tombeau de Charlemagne : « Son corps repose sous un enfeu à droite de l'autel, dans un sarcophage de marbre décoré de figures et de chevaux sculptés à la perfection, ce qui indique un ouvrage antique. » C'est là, tous les historiens l'ont souligné, la première fois que cet ouvrage est considéré comme un travail de l'Antiquité. A Antibes, où il y a le meilleur des muscats, l'amphithéâtre est ruiné, mais à quelques pas de là, sur la route de Cannes, un arc de pierre, sur une partie de route encore pavée de dalles blanches, porte une inscription : « Je n'ai pu la lire, mais elle dit que tout cela est l'œuvre d'Hercule qui, d'après les textes, est passé par là. » Ce qui indique une érudition un peu courte de la part du chanoine. Nulle part, d'ailleurs, on n'a eu l'impression que le cardinal et ses compagnons avaient une culture humaniste très solide. Dans le domaine classique, ils se contentent de regarder ce qu'on leur montre.

Comme il arrive souvent avec l'aristocratie, le cardinal est surtout intéressé par les grands auteurs, leur renom, leurs besoins, leur personnalité, moins par leur production littéraire. C'est ainsi qu'il visite près de Nördlingen la maison natale d'Albert le Grand, l'illustre théologien du XIIIe siècle, qui a été transformée en chapelle ; il a son tombeau chez les Dominicains de Cologne, qu'on ira voir aussi. Quand est cité le nom d'Érasme, « si savant en grec et latin », à propos de Rotterdam ; quand, à Paris, sont enregistrés les noms des « intellectuels » intéressants, ce n'est guère plus que par souci d'information : il y a des gens dont on parle, il faut le savoir. Le touriste bien né écoute et note ce qu'on lui raconte.

En relevant ce que ces petites notations peuvent avoir de superficiel, nous sommes peut-être dans l'erreur. Aloysius n'a pas été seulement le commanditaire des lettres sensationnelles de Pierre Martyr ; il versait une pension annuelle à Aulo Giano Parrasio, qui n'est pas un écrivain de renom, à l'humaniste G.-P. Parisi, un méridional. Comme il convenait à un prince de l'Église, il aidait des écrivains, des savants ; les recevait-il ? s'informait-il auprès d'eux ? Nous l'ignorons.

En tout cas, le cardinal est au courant des grandes bibliothèques, et le Journal relève le contenu et l'origine des fonds célèbres qu'il est donné aux voyageurs de visiter. A Constance, ce qui les a frappés, dans la bibliothèque, c'est l'astrolabe, et puis il y avait un orgue qui a monopolisé l'attention du cardinal. A Anvers, chez Marguerite d'Autriche, on relève que les livres destinés aux dames sont français et reliés en velours avec fermoirs d'argent. Luigi était peut-être bibliophile mais De Beatis remarque surtout comment les bibliothèques royales se sont enrichies à partir des fonds italiens.

L'Italie avait en effet une grande avance dans ce domaine. On savait depuis Cosme de Médicis à Florence, Frédéric de Montefeltre à Urbino et Sixte IV à Rome, non seulement rassembler des manuscrits grecs et latins ou de belles copies modernes, mais aussi construire de grandes salles appropriées. Les papes avaient donné l'exemple : la fondation de la Bibliothèque vaticane, avec ses manuscrits antiques et modernes, avait été solennisée par une fresque de Melozzo (vers 1475) qui frappe encore aujourd'hui par le style monumental de la galerie où Sixte et son neveu accueillent leur bibliothécaire. Jules II avait fondé une « librairie » dans les deux églises de sa titulature : San Pietro in Vincoli et les Saints-Apôtres, avant d'établir, comme on sait, sa bibliothèque privée — deux, trois cents livres, peut-être — à la Signature, dans le décor prodigieux de Raphaël. Il semble que Luigi ait reçu, dans le testament de Jules, la responsabilité de cette collection. En tout cas, les livres précieux étaient alors les manuscrits enluminés ; ils faisaient partie des prises de guerre et les visiteurs y furent très attentifs.

Justement, à Gaillon, il y avait une bibliothèque pleine de livres reliés aux armes d'Aragon. Ils provenaient de l'héritage de Frédéric, le dernier roi de Naples, chassé en 1501 par les Franco-Espagnols et mort à Tours en 1504. Sa veuve, Isabelle, qui était dans le besoin, avait trouvé preneur avec le cardinal d'Amboise. C'est tout ce que nous apprenons, mais c'est beaucoup. De même il y a à Blois une salle bourrée de livres débordant des rayons. Elle contient des chefs-d'œuvre de la miniature : Pétrarque, Ovide... Deux provenances principales : le malheureux Frédéric, comme à Gaillon, mais aussi le butin de la conquête de Milan, la collection de Ludovic le More prise à Pavie par Louis XII. En fait, les ouvrages venant de Naples ont bien été aussi des prises de guerre ; l'*Itinerario* parle à tort d'une vente consentie par la reine Isabelle, comme pour les manuscrits de Gaillon, car les chroniques ont signalé le pillage : plus de mille livres ont été emportés en 1495 dans les fourgons de Charles VIII. Vingt ans plus tard, ils se trouvaient toujours à Blois en dépôt provisoire. La bibliothèque royale n'avait pas été encore réorganisée. Là encore, c'est à Fontainebleau qu'allait avoir lieu, vers 1530, l'étape décisive sous la direction de Budé. De là, la plupart de ces manuscrits passeront à Paris, où ils sont toujours. En les signalant à Blois, le cardinal d'Aragon a aidé à fixer un moment de leur histoire.

⁂

Enfin les œuvres d'art. Nous sommes en 1517. On ne trouvera pas d'ici longtemps un voyageur capable d'aligner une série de visites aux lieux marquants de la vie artistique comme celles qui ont jalonné le circuit de Luigi. Avec une curiosité et un intérêt manifestes. Récapitulons : les statues de bronze pour le tombeau des Habsbourg à Innsbruck et toutes les observations sur les tombeaux modernes ; la chapelle des Fugger à Augsbourg ; les tapisseries de la Sixtine tissées à Bruxelles ; la collection de tableaux flamands « modernes » de Nassau ; le retable de Van Eyck à Gand ; le décor de Gaillon, le château le plus « moderne » de France ; la visite à Léonard complétée, une fois à Milan, par un pèlerinage à la *Cène* de Sainte-Marie-des-Grâces, « remarquable mais en train de se détériorer » ; à quoi s'ajoute Simone Martini — on va le voir — en Avignon. Ce superbe tableau de chasse est seulement un peu gâté par la monotonie des formules : le retable de Gand est « le plus bel ouvrage sur panneau du monde chrétien » ; les tapisseries de Raphaël seront « les plus belles du monde chrétien », etc. Il ne faut pas demander aux Napolitains, pas plus qu'aux hommes de leur époque, autre chose que le « jugement critique » implicite représenté par l'intérêt même qu'ils manifestent.

On relève avec plaisir la marque d'intérêt pour la fresque (disparue) de Simone Martini à Avignon :

> « Sous le porche d'entrée il y a une peinture de saint Georges à droite ; elle passe pour avoir été commandée par Pétrarque durant son séjour à la Cour papale d'Avignon, nombreux sont ceux qui tiennent que la princesse prête à être dévorée par le dragon est un portrait de Madonna Laura à genoux, les mains jointes vers le ciel. De toute façon, elle a un charmant air de villageoise ; comme coiffure, elle ne porte pas un chaperon selon l'usage actuel en France, mais une sorte de résille avec une tresse à la manière napolitaine. »

Un mauvais quatrain placé auprès de la fresque est même attribué à Pétrarque ; le nom de Simone n'apparaît pas. Mais la remarque sur l'allure de *villanella* de la pseudo-Laure et sa coiffure est loin d'être sotte.

Cet ouvrage assez exceptionnel a disparu en 1828 au cours d'un badigeonnage général ; ce fut pour Victor Hugo l'occasion d'une lettre ouverte et vengeresse dans *La Revue des Deux-Mondes* de mars 1833 : « La brosse a effacé jusqu'à la dernière trace d'une fresque inappréciable, attribuée à Simone Memmi de Sienne, l'ami de Pétrarque et de Laure, et où il avait représenté les deux amants sous les traits de saint Georges et de la vierge qu'il délivre du dragon. On en montre encore la trace toute blanche. » La notice s'est donc enrichie depuis la visite de 1517. Nul ne jurera qu'il s'agissait de portraits aussi évidents, mais on a un autre témoignage de l'intérêt que l'on portait à l'ouvrage au temps de François Ier ; d'après un auteur du XVIIe siècle, « le saint Georges à cheval (est) si bien fait que le roy François le voyant, tressaillit d'admiration, ne se pouvant soûler de le regarder. » Pour Luigi, l'intéressant était Laure, pour François le destrier, pour Victor Hugo le couple du poète et de sa maîtresse.

Aux œuvres notables, ainsi commentées, s'ajoute la masse d'informations sur les orgues, sur les tombes monumentales, sur les reliquaires orfévrés, qui déborde notablement l'énumération sèche des relations de voyage habituelles. Certes, il y a des notes plus étoffées chez d'autres. Münzer, par exemple, s'attarde un peu plus sur l'*Agneau mystique,* dont la visite était obligatoire pour tout touriste, mais au total la moisson recueillie au jour le jour, au milieu des indications pratiques et des remarques banales, par le chanoine-scribe napolitain est sans équivalent. Elle suppose une préparation, une curiosité, qui répondent assez bien à ce que nous pensons être le don, la supériorité d'un Italien cultivé. Mais aussi le souci de savoir où en est dans les meilleurs cas le développement présent de l'art de l'Occident.

Sortie de Pavie, la troupe alla dîner à un couvent de Hiéronimites, dit Ospedaletto. Le plan retint leur attention : un carré avec une salle à chaque angle et un hall central en croix. De Beatis note :

> « Mon maître dessina ce bloc et ces dépendances ; sans dessin il est très difficile de faire comprendre au lecteur par la seule description, si précise qu'elle soit, la disposition commode et l'ingéniosité de ce parti. »

Nous apprenons ainsi *in extremis* que le cardinal dessinait. Tant de remarques glanées dans le *Diario* incitent alors à imaginer que les horloges, les fortifications, les sculptures mentionnées avec intérêt ont pu mériter un croquis. En tout cas, voilà où a commencé cet intérêt des Grands pour la pratique du dessin puis de la peinture. Certains précepteurs humanistes l'avaient recommandée comme digne d'un esprit cultivé. S'il avait vécu assez longtemps pour lire le *Livre du courtisan* de son ami Castiglione, Aloysius y aurait trouvé un encouragement. Nous pouvons penser que ces deux aimables membres du cercle romain de Léon X avaient eu l'occasion de s'entretenir des aptitudes de l'homme moderne et qu'ils s'accordaient aussi sur ce point.

XI

Tableau de la France

C'est une grande chance pour l'historien de la vie française que Monseigneur d'Aragon ait eu tant de cousins et de parents dans notre pays. Une chance aussi que la piété y ait entassé tant de reliques qu'une visite pastorale improvisée (ou non) ait pu se développer à la faveur d'un voyage diplomatique devenu à mi-parcours un voyage d'agrément, si, comme il semble, les raisons de l'entreprise se sont peu à peu modifiées. Les Italiens avaient les yeux ouverts. Leur curiosité était alertée. Une fois reconnus et salués les compatriotes, il restait à s'instruire et à prendre de l'agrément dans un pays où cela ne semblait pas difficile. Quand on allait un peu vite — comme pour Paris, si curieusement expédié —, on prenait note des points intéressants que signalaient les indicateurs patentés. Cela se faisait constamment et doit expliquer la répétition des mêmes données, parfois des mêmes termes, dans les journaux de voyage que l'on peut comparer.

Pour des voyageurs qui ont traversé les Alpes, la France, surtout parcourue en biais de l'ouest au sud-est confirme sa définition de pays « plan ». L'appréciation finale de son paysage urbain n'est pas aussi favorable qu'on le voudrait :

> « Les villes et bourgs avec leurs places, rues, maisons et édifices publics, ne sont pas de loin aussi belles et charmantes qu'en Allemagne et en Flandre. »

Celles-ci apparaissent, par comparaison, comme mieux ordonnées, mieux tenues. En France dominent les fortifications puissantes. Les églises sont belles et bien aménagées pour le culte, surtout les cathédrales dont les maîtrises de petits chanteurs « tonsurés » font l'admiration d'Antonio de Beatis.

Du bétail partout. Dans le nord, on utilise, à côté du fumier, de la marne blanche comme fertilisant. La richesse agricole de ces contrées est remarquable, mais, chose curieuse, l'*Itinerario* n'insiste pas sur l'ampleur et la splendeur des forêts. On a trop exactement suivi les bonnes routes, qui les évitent. Toutefois, nous dit-on,

> « entre Montélimar et Avignon on trouve beaucoup de buis et une quantité considérable d'aspic ou lavande; en eau ou en herbe, elle est en grand usage dans l'Allemagne, la Flandre et toutes les provinces françaises ».

A vrai dire, beaucoup de témoignages recoupent au long des siècles toutes ces indications. En particulier ceux des Vénitiens de passage, ambassadeurs ou messagers, qui servaient d'informateurs à la grande agence politique de la Sérénissime. Tantôt ils sont frappés par la gaieté du peuple et son ardeur à tous les plaisirs autant que par les ambitions somptuaires de la Cour. Tantôt ils admirent la diversité des productions agricoles, la variété des denrées indigènes, à côté d'une certaine dépendance pour des produits d'importation : la laine, les chevaux. Tantôt ils relèvent la superbe de la noblesse et, surtout après le milieu du siècle où l'inflation s'accentue, les difficultés croissantes de la paysannerie qui nourrit l'énorme nation de 15 à 20 millions d'habitants.

Si la douceur générale du climat français est appréciée par opposition aux pluies et au froid dans l'Europe du Nord, l'absence de notations plus précieuses prouve simplement que le voyage de retour s'est passé sans orages ni à-coups. On traverse un pays sans problèmes, dont les traits sont à peine caractérisés, sauf quand il s'agit des pommiers normands ou des légumes comme les choux dans le Val de Loire. Un détail « sociologique », toutefois, les croix, les gibets et les tombes font partie, comme en Allemagne, du paysage ; mais avec moins d'ampleur :

> « Ils élèvent partout des croix, mais moins nombreuses et avec d'autres Cruci-

fix qu'en Allemagne. Sauf les nobles et les gens riches, les morts sont ensevelis à l'extérieur des églises et, ce qui est pire, sans enclos pour les cimetières, de sorte que les tombes sont dispersées dans les bourgs de campagne, parfois non loin de l'église, comme si c'était des juifs. La justice est rigoureuse et générale : on rencontre partout beaucoup de gibets, et bien fournis. »

Que les croix monumentales en France diffèrent de ce qu'on voit dans les pays du Rhin, cela se conçoit aisément ; nous manquons de documents datés pour illustrer l'observation. Peut-être le cardinal trouvait-il qu'on en rencontre davantage au-delà des Alpes qu'en Italie ? L'*Itinerario* a déjà relevé que la foule se montre plus dévote aux Pays-Bas que dans la péninsule. Il n'en dit pas autant de la France, mais il observe avec réprobation l'aspect confus des cimetières, comme un phénomène quasi général. Il est vrai qu'avant le XIXe siècle, il y avait, à cet égard, un grand laisser-aller. Quant aux potences, nous ne disposons pas de statistiques permettant d'en apprécier l'abondance ; soixante ans plus tôt, on penserait à Villon et à *La ballade des Pendus.* Le Journal de De Beatis qui est un bon témoin, nous confirme l'existence d'une pratique spectaculaire dont la toponymie a si souvent conservé le souvenir dans la désignation des lieux-dits.

Les gens qui voyagent, jugent souvent les pays par la qualité des hôtels. On a vu ce que

De Beatis pensait de l'hospitalité des uns et des autres, car, si son patron logeait chez les grands personnages, le secrétaire et le reste de la troupe étaient parfois amené à tâter de l'auberge. Ici, une comparaison avec un texte célèbre vient à l'esprit. En 1518, Érasme allait publier un recueil à grand succès, les *Colloques* : une suite de scènes de genre sous forme de dialogue touchant au mariage, à l'abstinence, aux superstitions. Dans la seconde édition de 1523 on trouva un sketch amusant sur les auberges *(Diversoria)*, qui recoupe assez bien les notations de l'*Itinerario*. Pour l'humaniste comme pour les voyageurs italiens, Lyon est une ville agréable. L'auberge lyonnaise, c'est le pays des sirènes : des hôtesses admirablement faites, qui vous remettent à leurs filles gaies et charmantes pour tous les soins, avec bien entendu, les joies de la table mais aussi le linge frais. Et elles vous embrassent au départ. L'interlocuteur grognon préfère l'hospitalité allemande, « plus virile ». Parlons-en, réplique l'autre ; personne ne s'occupe de vous, on vous entasse dans la salle unique du poële, le vin est piquant, le fromage est avancé, la chambre mal meublée. Décidément, Lyon, où il était passé en 1506, avait laissé un bon souvenir au grincheux Érasme ; les hôtels du Rhin qu'il fréquentait pour aller voir son imprimeur à Bâle lui paraissaient par comparaison enfumés et bruyants. Ce témoignage recoupe les observations d'Antonio de Beatis sur la France :.

« On est généralement bien logé, et mieux qu'en Allemagne, où on met dans chaque chambre autant de lits qu'elle peut contenir. Ici, il y a un grand lit par chambre pour le maître et un petit, mais garni de plume, pour le serviteur, et un bon feu. En Allemagne, il y a avec tous les lits un ou deux vases de nuit en étain, en Flandre en cuivre et très propres ; en France, faute d'un tel secours, on doit pisser dans le foyer. Et cela se fait nuit et jour. Plus le rang du gentilhomme ou du seigneur est élevé, plus cela se fait, publiquement et sans embarras. »

L'histoire des « commodités » n'a été faite que depuis peu ; elle confirme ces pratiques désinvoltes, des gens bien nés. Celles-ci ont duré longtemps : Versailles, comme on l'apprenait autrefois à l'école, n'en était pas indemne et de mauvaises odeurs régnaient dans les coins, selon Tallemant des Réaux et beaucoup d'autres. Ce qu'on connaît moins, c'est l'ostentation mise, en fonction du rang, à accomplir ces besoins. Nos Italiens semblent en avoir été un peu étonnés.

Le tableau de la société tracé à grandes lignes rejoint ce qu'on trouverait ailleurs mais avec quelques traits plus précis, plus « visuels » :

> « Les hommes sont petits et manquent de prestance, sauf les gentilshommes qui sont d'ordinaire bien bâtis et de belle allure. Ils portent les armes, pour la plupart, et ceux qui ne le font pas vivent auprès du roi avec une pension pour vivre quatre mois l'an à la Cour. »

Ils se retirent ensuite dans leurs terres où ils vivent à peu de frais, « sans gâter leurs velours ». Ils ne paient aucun impôt et les vilains, entièrement soumis, sont plus maltraités que chiens ou esclaves, mais enfin, déclare froidement notre auteur, tous tant qu'ils sont,

> « seigneurs, plébéiens, marchands, gens de tout rang et condition, pour peu qu'ils soient français, sont décidés à faire la fête et à vivre allègrement ».

Ce passage a été déjà cité. Il constitue un jugement, trop oublié, peut-être, des sociologues, qui vient d'un bon témoin après quatre mois de visite.

A l'occasion d'un incident regrettable à Gaillon, le journal d'Antonio de Beatis contient une sortie antifrançaise assez ennuyeuse. On avait dû loger sur la rive gauche de la Seine à une lieue et demie du château :

> « Je m'en souviens fort bien, car soudain vers une heure de la nuit, mon sac d'arçon contenant divers effets personnels, notes écrites et argent pour environ dix cents fut volé de la selle. J'ai fait un

éloge chaleureux des Allemands et des Flamands, gens honnêtes et loyaux, qui plus d'une fois restituèrent courtoisement la pièce d'argent qu'on leur avait laissée en pourboire, même — ce qui est particulièrement méritoire — les plus pauvrement nantis. Inversement, je ne puis dissimuler la réalité en ce qui touche les Français après avoir subi ce vilain tour de leur part, qui m'a causé beaucoup d'ennuis. Dans toutes les provinces françaises, mis à part les gentilshommes qui mènent la vie la plus ouverte, magnifique et libérale, de toute la chrétienté, le peuple m'a laissé une impression de bassesse, de fainéantise et de vice, inimaginable ailleurs. »

Ainsi, par opposition avec les Allemands, hôteliers ou autres, qui se sont montrés d'une honnêteté scrupuleuse, même les plus pauvres, le peuple français n'inspire aucune confiance à De Beatis. Son ressentiment est très vif : « Méprisables, vicieux et paresseux. » Un mauvais souvenir. L'ennuyeux, c'est que cette appréciation globalement défavorable de la société française se retrouve ailleurs.

On n'oublie pas les semaines charmantes passées au nord de la Loire :

« De toutes ces régions, celle où on loge le mieux et qui est la plus civile, en raison de la conversation de la Cour et de la noblesse, c'est la France » [il faut entendre : l'Ile-de-France et la France centrale].

Observation attendue et, à coup sûr, d'une grande importance, puisqu'elle fixe déjà la physionomie exceptionnellement centralisée du pays. Une ultime remarque sur la noblesse vient la compléter :

> « En conclusion sur les gentilshommes français tous ceux qui naissent ici bénéficient de tant de prérogatives, privilèges et faveurs, qu'ils peuvent remercier Dieu plus que quiconque ailleurs, car ils sont assurés que la nature les ayant fait naître gentilshommes, ils ne peuvent mourir de faim ni avoir un métier vil, comme fait chez nous la majorité, où très peu vivent en vrais gentilshommes tout en en gardant l'allure. »

Le texte reflète l'amertume du prince napolitain dont la famille a été dépossédée ; cette situation ne lui fait que mieux apprécier les magnifiques privilèges de l'aristocratie française. En Italie, tout est difficile à maintenir, le cardinal en sait quelque chose. Il a rencontré beaucoup de grands et de moyens seigneurs français, quelques-uns parents ou alliés. Il nous manque une appréciation de leurs dons, de leurs qualités, de leur culture. En dehors de la chasse et de la galanterie, à quoi s'intéressent-ils ? Au moment même où Aloysius chevauchait ou passait en litière à travers la France, l'un de ses grands amis, Castiglione, révisait son traité de *L'homme de Cour,* le *Cortegiano* où il y a des pages terribles sur l'inculture, le mépris des « lettres », chez les seigneurs français.

Ce *Livre de l'homme de cour* avait été écrit dans une première version entre 1513 et 1515 et sera révisé, enrichi au cours des deux années suivantes (il y aura deux autres rédactions avant la publication finale en 1528). Dialogues entre personnalités « distinguées » sur les qualités, les devoirs, le style que doit adopter l'homme moderne qui est en train de se définir dans les Cours princières. Cette entreprise littéraire, dont on parlait beaucoup, intéressait tant le milieu français qu'il y eut un projet de dédicace à François Ier et que, dans la première partie du traité, il est question du problème que pose à tous les observateurs la noblesse française qui professe — nous dit le texte — que « la culture littéraire » *(le lettere)* nuit au métier des armes. Qui est cet accusateur des insuffisances de l'aristocratie ? Le comte Lodovico Canossa, l'ami de Luigi, qui était justement en Normandie avec le roi pour l'accueillir. Et quel est le petit scénario du *Livre de l'homme de Cour* à ce sujet ? Le comte explique :

> « Les Français ne connaissent que la noblesse des armes et méprisent tout le reste ; non seulement ils n'estiment pas la culture littéraire, mais ils en ont horreur ; ils tiennent les gens de lettres pour des gens de rien et c'est faire à quelqu'un une grossière injure que de le traiter de *clerc* [i.e. : intellectuel]. »

Ce diagnostic est important ; les historiens de la civilisation française l'ont un peu trop ignoré. Mais dans l'ouvrage de Castiglione, il s'agit de faire apparaître l'espoir d'un renouveau ; grâce à qui ? Au roi François, dont l'éloge revient à Julien de Médicis, le duc de Nemours, l'époux de Philiberte de Savoie ; sa mort prématurée en 1516 priva certainement la Cour de France d'un allié et d'un modèle. Julien annonce donc dans le *Libro* le bienfait que sera pour ce pays arriéré la venue au trône de « Monseigneur d'Angoulême » ; il a conscience des faiblesses des gentilshommes et on peut compter sur lui, grâce à l'instinct de sa jeunesse, pour donner le bon exemple et entraîner l'élite de son pays dans des voies nouvelles.

Il est dommage que Luigi n'ait rien exprimé à ce sujet, ou, s'il l'a fait dans quelque conversation, que de Beatis, n'ait pas pu ou voulu en prendre note. Peut-être a-t-il été trop bien accueilli, traité avec trop d'honneur pour formuler un jugement défavorable. Les vainqueurs de Marignan sont de bons cavaliers, voire de grands capitaines ; leur table est excellente, les dames sont bien parées dans leurs fêtes. Faut-il en demander davantage ?

Les conclusions des Napolitains après leur traversée de la France ne sont pas très originales sur l'état de la société ; elles le sont davantage sur les mœurs. Le peuple est soumis dans ce pays à une double sujétion qui explique son manque de fierté, avait écrit quelques années plus tôt Machiavel, dans ses

Ritrati della Francia au terme de la troisième légation (1512) : l'autorité royale, la domination de la noblesse. Son jugement était sans doute celui du politique déçu par l'indifférence de Louis XII au sort de la république florentine. Sa sévérité sans nuances contraste quelque peu avec l'ironie plus indulgente du cardinal. Entre-temps le roi a changé et l'arrivée du brillant François a permis un ton nouveau dans les jugements. L'analyse reste la même ; la structure unifiée et hiérarchique du pays ne pouvait échapper à l'observateur, même pressé. Mais le goût du plaisir commun à toutes les classes définit un climat original qu'Aloysius était, après tout, plus apte à saisir que Machiavel, préoccupé de milice et de puissance. Nos voyageurs n'ont rien à dire sur les armées. L'année du voyage est une année de paix.

Au fond, on ne savait pas encore très bien ce que la France pouvait donner, ce dont elle allait être la protagoniste. Si l'on examine d'un peu près, comme l'a fait récemment un travail exemplaire, l'accompagnement poétique et artistique du règne de François de Valois et le registre de ses symboles, on y découvre l'énorme poids du discours chevaleresque sur le courage et la générosité. La priorité était toujours données à ces valeurs, mais il apparaîssait souhaitable que la noblesse acquière un minimum de savoir et de sagesse, sous une forme qui restait à préciser. Les velléités de haute culture sont toujours enveloppées de fictions et de vagues promesses. Le roi fait écrire à Érasme de venir s'installer à Paris, d'y créer l'institut des Trois Langues scripturaires dont il a parlé. Mais Érasme n'est pas professeur. L'impétueux Valois n'est pas son homme. Il répond poliment, il temporise. Le Collège de France attendra quinze ou seize ans. Dans le grand calme de l'année 1517, il se préparait peut-être de grandes choses. Si l'on rassemble toutes les informations que cet *Itinerario* accumule, il faut former l'idée d'un peuple qui, en dépit d'énormes inégalités, a le bonheur de la vitalité et ne doute de rien.

Les itinéraires ne changeaient guère. Un demi-siècle plus tard, entre 1564 et 1566, un petit roi âgé de quinze ans, Charles IX, fit en compagnie de sa mère, Catherine de Médicis, une longue traversée en zig-zag du pays. « Un des serviteurs de Sa Majesté », Abel Jouan, en a tenu le journal dans un style sobre et précis qui ressemble parfois à celui de de Beatis. Il note les lieux du dîner et du coucher et le calcul des lieues parcourues, exactement comme le chanoine napolitain avec une appréciation laconique du genre : « pauvre village », « grande et forte ville ». Ce vocabulaire monotone se trouve dans tous les textes qui ont précédé et suivi *La Guide* de Charles Estienne (1553). La topographie des routes est bien en place.

Mais sur cette grille banale, l'*Itinerario* a multiplié les aperçus sur la campagne française grâce aux commentaires que nous avons regroupés et commentés et qui, si minces et rapides qu'ils soient, ne manquent jamais de saveur. Par exemple, quand on va de Salon à Marseille, « on chevauche à travers les romarins dont les collines sont remplies ». Le grand étang que longe la route — l'étang de Berre — est « comme un grand lac dont on extrait du sel. Son nom vient du village construit à l'extrémité d'une langue de terre qui ferme l'étang et vue de loin, très jolie d'aspect ». Cette indication sensible, et jusqu'à ces derniers temps, bien facile à vérifier, est suivie d'une notation ironique à propos du village dit Les Peines, qui mérite bien son nom, d'après de Beatis, car « les habitants d'un pays si déplaisant ne peuvent qu'ignorer la gaieté ». En approchant de la Méditerranée, un peu d'humour méridional peut bien se manifester.

Une fois en Italie, quelques détails rappellent incidemment l'actualité politico-militaire. Après une jolie description de Gênes, sa belle courbe sur la mer, ses rues étroites aptes à la défense contre les pirates, l'étrange étagement des collines, on lit ceci :

> « Le château est construit à l'intérieur même de la ville sur un ressaut proche de la belle église Saint-François. Il peut faire beaucoup de mal à la ville et il est aux mains des Français. Mais beaucoup plus dangereux encore est la Lanterne : Gênes

est avant tout un port, nul vaisseau ne peut entrer sans sa permission, la Lanterne est vraiment comme un mors et des plus serrés. C'est une forteresse bâtie par le roi Louis de France sur un récif qui avance dans la mer et domine comme un faucon le fort et la patrie attenante de la ville. On l'appelle ainsi parce qu'auparavant c'était un phare avec une lanterne allumé de nuit pour guider les navigateurs vers le port. Le Doge (Fregoso), fils loyal de Gênes, la fit entièrement détruire avant de la céder aux Français, en racontant qu'il n'avait pu s'opposer à la furie populaire. »

Ces informations ramènent à l'histoire mouvementée des vingt dernières années et aux invasions françaises où Gênes n'avait cessé d'être impliquée. Ce fut même l'une des premières places occupées par les troupes de Louis XII, quand elles arrivèrent en Lombardie. On comprend aisément l'intérêt militaire du grand port sur la Méditerranée, la route de la côte étant longue, sinueuse et difficile, par comparaison avec la liaison par mer. Cette occupation avait fait du bruit. À Gaillon la clôture de la cour intérieure comportait une frise sculptée dite « entrée de Gênes » qui commémorait la conquête française, mais l'*Itinerario* a omis d'en parler. C'est alors que Louis XII fit élever le fortin de la Lanterne, astucieusement détruit depuis.

L'*Itinerario* contient une série d'anecdotes

sur la personnalité du doge génois, hospitalier, plein de mérites, cultivé et magnanime. Pourquoi ce « profil plein d'attention » ? La raison en est simple : ce gentilhomme était un ami du « cercle d'Urbin », donc lié avec Castiglione et Lodovico Canossa, lui aussi interlocuteur du *Cortegiano,* donc « modèle » parmi d'autres d'humanité aristocratique dans l'esprit de ce traité. Toutefois, le cardinal ne logea pas chez lui, mais à l'archevêché, où il prit ses repas pendant quatre jours sans la compagnie du doge « qui observait l'avent et le jeûne quotidien ». C'est là qu'on a noté la qualité exceptionnelle des poires d'automne « bergamotes » et, avec tous les détails nécessaires, la remarquable beauté des femmes.

La visite de Gênes avait inévitablement rappelé les vicissitudes sévères de l'époque. Un peu plus loin, passant par Alessandria « qui appartient aux Visconti », il faut bien noter que « la ville a été récemment mise à sac plusieurs fois » ; c'était en fait un lieu stratégique. Casale a de solides fortifications, et est bien doté en artillerie. Quand on arrive dans le duché de Milan, les guerres françaises ne sont pas directement évoquées, mais seulement par implication, avec une seule exception à Milan même : le château — *Castello sforzesco* comme nous l'appelons — est présenté comme « le plus grand d'Italie et peut-être de la chrétienté », avec ses fossés, ses murs, ses casemates souterraines et l'annexe de la *Rocchetta* si bien équipée. Conclusion : « Plus on le considère en l'examinant *de visu,* plus on éprouve rage et mépris pour le traître qui en sortit pour le livrer aux Français. » Cette fois, l'allusion porte sur un fait précis de 1499 qui avait indigné l'Italie et que Machiavel a commenté dans *le Prince* (chap. 20) : Ludovic Sforza avait confié la forteresse imprenable à Bernardino di Corta, qui la livra aux troupes de Louis XII.

Le parcours des places mêlées aux guerres récentes, se fait — à ce détail près — sans passion. L'affaire toute récente de Marignan a changé l'atmosphère. Mais il existe un curieux Journal de la campagne de 1515, dû à un frère lai — ou « portier » — au service du roi de France, Pasquier Lemoyne. Ce texte, intitulé *Le couronnement du roi François,* fut publié à Paris en 1520. C'est jour par jour, tout ce qui concerne le camp, l'armée, les engagements, avec force détails, depuis la grande revue de l'armée à Embrun le 7 août 1515 jusqu'à l'entrée solennelle à Milan le 23 octobre. Sur un ton simple et très concret qui rappelle celui de De Beatis, apparaissent des notations du genre de celles qui intéressent les armées ; vignes, rivières, étangs, villages. La mention « belle et agréable » petite ville désigne, comme dans l'*Itinerario,* un bon gîte. Mais après une très longue dissertation sur la victoire du 14 septembre, dans laquelle il voit directement la main de Dieu, l'auteur change de registre et regarde autour de lui : il observe tombeaux et édifices, à Pavie et à Milan, d'une manière assez détaillée et, au fond, nouvelle.

A Sainte-Marie des Grâces, ce chroniqueur

militaire va voir la *Cène* de Léonard ; il admire surtout la vérité des verres, du vin et de la nappe. Ce qui est un peu étroit et non sans ingénuité. Quand de Beatis rend compte à son tour de la même visite, il voit plus large : « Magnifique ouvrage mais qui commence à s'abîmer, soit par l'humidité du mur, soit quelque malfaçon, je ne sais. Les personnages sont des portraits faits d'après des gens de la Cour et de Milanais de l'époque. » L'appréciation de Pasquier est naïve, mais celle-ci qui veut avoir l'air informé, est absurde ; ou plus précisément c'est la généralisation de l'anecdote fameuse selon laquelle Léonard étudiait indéfiniment les visages et comme le prieur lui avait reproché ses longueurs, il l'aurait peint en Judas !

L'intérêt pour l'art se manifeste comme il peut : on dirait qu'il n'y a que deux façons de parler peinture : exprimer la stupeur devant le réalisme des formes ou rapporter une anecdote.

XII

Un cardinal de la Renaissance

Ce voyage de dix mois avait coûté très cher. Outre les frais d'équipement de toute la troupe, la somme totale de 15000 ducats est avancée par De Beatis pour la nourriture et les multiples emplettes faites en Allemagne et en France. Ce chiffre est considérable. Il suppose une belle fortune princière ou ecclésiastique. Le cardinal ne se refusait rien ; le chanoine le constate sans l'ombre d'un reproche. Ce qui lui tient à cœur, c'est d'excuser un équipage aussi réduit : dix seigneurs avec leurs domestiques n'étaient pas, à son gré, une escorte suffisante pour un tel seigneur. Sur les routes les compagnies royales, avec chariots, gardes et valets, étaient bien plus nombreuses. Mais Aloysius était-il assez riche pour affronter des dépenses encore plus élevées que celles qu'il a dû consentir ? Il est permis d'en douter.

Au vrai mondain il faut, pour mener une existence convenable, des relations et de la fortune. Les premières, Luigi les possède dès son départ dans l'existence, mais la richesse fut plus longue à venir, étant donné les vicissitudes de la Maison de Naples. Dans le tableau des contributions plus ou moins forcées demandées aux membres du Sacré Collège « pour la Croisade » en 1504, Aloysius apparaît parmi les moins bien pourvus. Vint en septembre 1508 l'héritage, certainement attendu et vraiment opportun, de la tante Béatrice Corvin : 40 000 ducats, dont la presse, représentée par le chroniqueur vénitien de l'époque, ne manqua pas de souligner l'intérêt. Mais on est surpris de voir, moins de trois ans plus tard, au détour d'une lettre d'Isabelle d'Este — la bonne cousine — en avril 1511, que Luigi « a grand besoin » des revenus d'un évêché espagnol qu'on lui destine.

Serait-il le parfait exemple du cardinal de la Renaissance à Rome, fastueux, follement dépensier et pour finir affreusement endetté ? Était-ce là réellement leur étrange condition ? Ce n'est pas nous qui inventons le problème. Un poète que Luigi rencontra certainement à Ferrare et dont le verbe devait lui plaire, l'Arioste, avait publié en 1516 la première version de son *Orlando furioso,* épopée souriante et courtoise qui enchanta l'époque. L'Arioste était au service du cardinal Hippolyte d'Este, frère d'Isabelle ; en 1517, envoyé en Hongrie comme évêque de Buda, il voulait emmener avec lui le poète, qui justifia son refus en écrivant la première de ses *Satire.* C'est, entre autres choses, un éloge de la pauvreté ou plus exactement une moquerie des ambitieux qui, comme tant de prélats endettés, sont contraints de paraître à tout prix sans en avoir les moyens, tant leur prodigalité en quelque sorte professionnelle détruit au fur et à mesure leurs ressources. Le Vénitien Marino Giorgi, dans une de ses *relazioni* à la Sérénissime (lue le 17 mars 1517), a cru devoir consacrer une fiche précise au cardinal :

> « Il descend de Maison royale ; on le salue comme revérendissime et illustrissime. Il est singulier *(bizaro molto).* Son revenu est de 24000 ducats. Mais le pape ne s'est pas bien conduit avec lui ; il est de ceux qui ont contribué à son élection mais il ne lui accorde jusqu'à maintenant que 4000 ducats avec l'abbaye de Chiaravalle. »

Il doit y avoir du vrai dans cette information sur l'insuffisance des dotations consenties au cardinal. Car deux ans plus tard, à sa mort, celui-ci ne laissait guère que des dettes. La pointe dirigée contre le pape se comprend, car les affaires de Luigi allaient de plus en plus mal. La liste de ses dotations est assez bien connue. Mais l'étude de ses finances reste à faire comme on a pu y parvenir pour d'autres princes de l'Église, avec des conclusions révélatrices sur l'équilibre précaire de leurs finances. Et que signifie *bizaro* ? — Fantaisiste, c'est-à-dire généreux, dépensier ? On en a des preuves. Les observateurs étaient manifestement intrigués par le problème des ressources propres aux membres du Sacré Collège.

Depuis le conclave de 1458, une pension mensuelle était prévue pour ceux-ci en cas de revenu insuffisant ; elle était dérisoire : 200 ducats par mois pour les rentrées de moins de 6000 ducats annuels. Périodiquement, on demandait une solution officielle pour permettre aux cardinaux de tenir leur rang autrement qu'en recourant à des expédiants comme la fameuse *propina* (cadeau en espèces pour chaque évêque présenté), des compromis avec les puissances, comme il arriva au grand Égide de Viterbe (une fois pourvu du chapeau en 1517, il fut amené à rechercher le patronage généreux de Mantoue), ou enfin un endettement énorme. A leur mort, on découvrait souvent une situation négative : ainsi le cardinal Sanseverino et plus tard Bibbiena lui-même. Ce fut le cas pour Luigi d'Aragon, malgré ou plutôt en raison des dépenses comme celles de son voyage, qui supposaient de grandes ressources ou de sérieux emprunts. Même les cardinaux les plus en vue, comme Giulio de Medici, le cousin de Léon, avaient de grosses difficultés à maintenir leur train de vie. Seuls, quelques habiles financiers et propriétaires comme Alexandre Farnèse (le futur Paul III) ou Cesarini semblent les avoir ignorées.

Mais pourquoi ces façons de grands seigneurs ? Le rang de princes ? Si l'on méconnaît l'exigence de « magnificence » que comportait le « chapeau rouge », on ne peut guère comprendre le monde de la Renaissance. La dignité des cardinaux est essentielle à la vie de l'Église ou, si l'on préfère, à l'autorité — qui doit être spectaculaire — de son pouvoir central. Le souci du faste, la préoccupation constante du cérémonial, la recherche d'une sorte d'exaltation par les parades et par les fêtes, sont probablement l'aspect le plus éloigné de nos mentalités, parmi les traits caractéristiques de l'époque. On se trompe ou, en tout cas, on n'aperçoit qu'une face des choses, quant à la suite des historiens du siècle passé — à commencer par Michelet — on identifie mondanité et « paganisme », faste et jouissance. Auprès de Jules II et de Léon X, ces deux papes exceptionnels dans leur genre, l'un par l'énergie constructrice et belliqueuse, l'autre par l'habileté diplomatique et la culture, que représentaient les cardinaux ? Nous apprécierons mal la figure d'Aloysius, tant que nous ne prendrons pas la mesure de cette catégorie originale de la haute société cléricale et romaine.

Il se trouve que fut publié un livre d'initiation et de préparation à la dignité en question, intitulé *De Cardinalatu*. Nous y trouvons tous les éléments de réponse. L'auteur, Paolo Cortese a très bien senti au cours de ces années extraordinairement actives de quel côté étaient le prestige et l'autorité dans la société nouvelle : chez les cardinaux. Son traité (posthume) parut en 1510 avec une préface qui expose de façon frappante son point de départ : Paolo avait rédigé une grande partie de son traité pour l'éducation des princes, quand il eut un entretien avec Ascanio Sforza ;

« Celui-ci l'encouragea vivement à transférer ce qu'il avait écrit sur la formation du prince profane (si l'on peut s'exprimer ainsi) aux princes sacrés qu'on nomme cardinaux et que lui appelle sénateurs ». C'est clair. Il convient à un cardinal d'être « magnifique » : c'est un prince de l'Église.

La plupart des palais de Rome, à commencer par la Chancellerie, sont, comme on sait, l'œuvre de cardinaux. Toute demeure noble supposait une bonne centaine d'officiers, secrétaires, assistants, pages, laquais, palefreniers (il fallait une quarantaine de chevaux à l'écurie). En 1509, il y aurait eu cent cinquante *familiares* pour chacune des vingt-six demeures cardinalices (selon D. S. Chambers). Il faut s'interroger sur celle de Luigi.

Un exemple : la salle de réception, le grand salon, si l'on veut, d'un cardinal doit, d'après Cortese, obéir à la règle de l'apparat : les vases d'argent seront exposés sur les crédences de telle sorte qu'on voie bien les emblèmes et les devises qui y ont été gravés. Détail intéressant, car nous savons par ailleurs qu'au cours d'une grande cérémonie organisée au Capitole en l'honneur de Julien et de Laurent de Médicis en septembre 1513, les crédences installées pour le banquet furent spécialement ornées de vases appartenant au pape et au cardinal d'Aragon. Si l'on n'est pas incroyablement riche, il faut du moins faire comme si on l'était : palais, réceptions, équipage, donations, collections.

Non seulement les « hommes de la pourpre » étaient les représentants actifs et nécessaires du chef de l'Église, mais, avec tous leurs défauts et en dépit des critiques (souvent justifiées) que leur attiraient de toutes parts leur élévation et leurs manières princières, ils étaient les stimulants de l'activité intellectuelle et artistique. A Rome même, ils exerçaient, bien au-delà des tâches normales de la curie, une sorte d'entraînement social. C'est l'action de ces personnalités qui a assuré la fécondité du demi-siècle, de Sixte IV à Paul III, au cours duquel Rome est devenue le foyer le plus puissant de l'Occident. On ne prétendra pas que, avec tant d'exigences financières aléatoires et mal garanties, la qualité de cardinal romain avait un caractère « héroïque », mais il serait sot de ne voir dans leur style et leur action que l'appétit cynique de la puissance et la légèreté du mondain.

Garant du cérémonial, le cardinal l'est — ou doit l'être — de toutes les manières. Le traité *Rituum ecclesiasticorum sive sacrarum ceremoniarum S.S. Romanae Ecclesiae* (Rituel pour le clergé des cérémonies religieuses de la Sainte Église Romaine) en 3 volumes, paru longtemps après l'époque d'Aloysius, a enregistré dans le rite traditionnel de l'investiture, la liste des vertus que le nouveau cardinal est invité à pratiquer : l'humilité et non l'orgueil ; la libéralité et non l'avidité ; la retenue et non la licence ; la continence et non le goût du plaisir ; le savoir et non l'ignorance; C'est fort bien analyser les risques moraux du métier, si l'on peut dire. Ces conseils, ou plutôt ces injonctions, étaient proférés à un moment solennel ; ils précisaient la remise du chapeau et la formule consacrée : « *Accipe galerum rubrum, insigne singulare dignitatis cardinalatus* » (reçois le chapeau rouge, emblème spécial de la dignité de cardinal).

La prodigalité de Léon X a stupéfié et parfois consterné les chroniqueurs et les témoins, car elle entraînait celle des cardinaux, obligés de suivre le mouvement. Les divertissements, plaisirs et fêtes du Vatican entre 1513 et 1521 ont été décrits en détail, sans complaisance et même avec un peu d'effroi dans l'irremplaçable *Histoire des Papes* de Ludwig Pastor. En dehors des offices, des heures de méditation et des réceptions diplomatiques, la gaieté régnait autour du pontife le plus agréable et le plus fin qu'ait connu alors le Saint Siège. Les devoirs accomplis (et ils étaient nombreux), on avait droit à se divertir ; spectacles, théâtre, bouffons, on riait beaucoup et sans fausse honte. Compagnon habituel du pape médicéen, Luigi était manifestement dans les mêmes dispositions. D'ailleurs, ses acquisitions au cours du voyage et ses curiosités même l'indiquent. Une table recherchée et délicate (on parle d'un plat de « langues de paon » servi sous Léon), des acrobates et des bouffons (parfois involontaires, comme le mauvais poète Baraballo qu'on fit grimper sur un éléphant), mais avant tout la chasse et la musique. L'allure, le style de vie, le comportement tour à tour noble, sérieux, convaincu, et joyeux, ironique, ardent au plaisir, du Pontife, permettent mieux de tracer, après lecture de l'*Itinerario,* le profil du cardinal d'Aragon.

On devine à qui étaient destinés les pur-sang anglais, les lévriers. Remontant la via Cassia vers Viterbe et Bolsena ou gagnant vers Ostie le pavillon de La Magliana, Léon était un chasseur acharné : gros gibier, faisans, vénerie, fauconnerie. De notre Antonio de Beatis, une lettre de mai 1518 (conservée aux Archives Gonzague) raconte comment Léon dut, un jour de chasse, mettre ses lunettes — il était terriblement myope — pour planter l'épieu dans un cerf pris dans les filets. Le pape médicéen savait très bien que tout le monde n'approuvait pas cette activité qui était celle des gentilshommes, mais il avait ses raisons et les exposait bien : ces exercices lui étaient indispensables, sa santé connaissait toutes sortes de gênes dues à l'obésité qu'il savait ainsi combattre. Il y trouvait aussi bien un équilibre, une occasion de voir, de juger les cardinaux, les ambassadeurs. Cela faisait parti du métier de prince. Luigi le démontra en Normandie, à Gaillon. On ne se mêle pas aux Grands sans être capable d'un bel exploit cynégétique. Et si l'on y prend plaisir, tant mieux. C'est d'ailleurs ce qu'avait clairement indiqué Cortese : la pratique de la chasse est nécessaire au « standing » de cardinal. Dans l'oraison funèbre, on crut bon de disculper Luigi de toute faute à cet égard :

> « Rien en lui que de magnifique, aucune manque de retenue dans son intégrité morale. Selon certains pourtant on doit lui reprocher sa passion de la chasse. Mais — affirme l'orateur — je me demande une seconde s'il y a quelque chose de meilleur pour l'homme... » [Et il ajoute que toutes les nations honorent cet exercice ; tous les grands hommes, de Cyrus à César l'ont pratiqué] « Aloysius y recourait pour libérer son âme des préoccupations pesantes, pour assurer sa détente physique. »

Dans son éducation princière, il avait pratiqué tous les sports : la course, le disque, le saut, la boxe, l'équitation ; et la chasse était pour lui un moyen de mieux supporter les vicissitudes du sort.

L'allant de cette belle jeunesse, la splendeur de ces princes et leur goût de la chasse au gros gibier étaient tels qu'un poète surnommé Tranquillo composa en s'inspirant des *Métamorphoses* VIII, où Ovide raconte l'aventure de Méléagre, un poème héroï-comique, après une chasse qui eut lieu en janvier 1516 chez Alexandre Farnèse. On les y retrouve tous : Hippolyte d'Este, le beau Cornaro, Sanseverino avec un manteau en peau de lion (image poétique ou vêtement de sport original, on ne sait), et, bien entendu Aragon, « de souche royale et d'une ardeur royale ». Des membres de l'équipage tombent dans la boue ; on en rit de bon cœur, etc. Ce qu'on sait du testament de Luigi par un acte notarié du 18 janvier 1519, permet d'ajouter au dossier un trait touchant : l'inventaire des chevaux et des mules est très complet, on a même leurs noms ; et c'est ainsi que les amis les plus chers reçoivent un souvenir. Canossa retrouvera la jument qu'il a offerte en France au cardinal ; Hippolyte d'Este, le compagnon des plaisirs sportifs, recevra un cheval anglais, une jument noire.

Après le retour, Antonio de Beatis avait conservé ses occupations au service de son prince. On le suppose du moins en prenant connaissance d'une lettre adressée, le 1er mai 1518, à Isabelle d'Este où il racontait :

> « Hier soir Messer Agostino Ghisi [Chigi] a donné un dîner de poissons dans sa demeure du Trastevere [La Farnésine] : il y avait le pape, Monseigneur d'Aragon et de nombreux cardinaux ; ce fut un grand apparat et une dépense de plus de 1700 ducats. Stragino fit grand honneur au festin avec ses nouvelles productions. »

C'est donc à la Farnésine que tout le monde s'était retrouvé pour écouter le Strascino, un chanteur-comédien, une espèce de chansonnier, fameux par ses imitations et ses sketches où il mimait à lui seul plusieurs personnages. La marquise l'appréciait beaucoup, comme le pape et Luigi.

Cette « mondanité » allégrement acceptée que représente avec une sorte de perfection la figure de Luigi d'Aragon, allait de pair avec l'épanouissement de ce que nous pouvons, à la moderne, appeler la « culture » et qui était plus simplement la vie de l'esprit, avec ses tâches et ses plaisirs. Parmi les cardinaux fastueux et dépensiers se trouvaient ceux qui assuraient la promotion définitive de Rome. Ils ne vivaient sans doute pas tous la plénitude de ce moment historique exceptionnel; ils ne prenaient pas suffisamment garde aux déchirures que tant de découvertes et d'entreprises hardies ne manqueraient pas de provoquer. Il y en avait de faibles et de serviles, mais le prince d'Aragon dessine un autre type. Sans ce caractère entreprenant, cette vigueur, cette vitalité qui étonne et parfois scandalise, rien ne se serait accompli à Rome de ce que l'on a, avec raison, pris l'habitude d'admirer.

Si l'on en croit l'oraison funèbre et la notice de Cornelius de Finé — le chroniqueur flamand plusieurs fois cité — Luigi illustrait à la perfection la générosité princière :

> « Un homme honnête, sérieux, magnifique, capable d'assumer la grandeur royale, protecteur des savants et des gens de mérite, qu'il honorait volontiers par des dons à n'en plus finir. »

Cela n'apparaît pas dans le rapport du voyage, mais on le sait par ailleurs. Après l'élévation de Léon X, de nombreux clercs, humanistes et poètes confluèrent vers Rome. On attendait et on eut, en effet, un pontificat « lettré ». Isabelle d'Este agissait depuis son palais de Mantoue en recommandant l'un, en encourageant l'autre. Son cousin le cardinal Luigi, bien en Cour, était un relais tout trouvé. Le 5 mai 1514, une lettre lui est adressée par la marquise en faveur de Giangiacomo Trissino qu'il s'agit de lancer à la Cour du pape « en le traitant d'une manière particulièrement favorable et en le prenant en protection dans toutes ses affaires ». L'opération réussit et Trissino, le futur protecteur de Palladio, était dès l'année suivante dans les bonnes grâces du pape.

Luigi avait commandité les passionnants rapports de Pierre Martyr d'Anghiera sur le Nouveau Monde. Des documents nous apprennent qu'il aida de ses deniers un poète, Marcantonio Flaminio, un philologue, Paolo Parsini de Cosenza. Son « mécénat » était dans la ligne du pontificat de Léon, mais on peut se demander quelle part exacte il prenait aux travaux et aux productions de cette Rome de la pleine Renaissance ; l'éloquence comme l'architecture revêtaient un style « à l'antique », en vertu d'une mode qui exaspérait Érasme et dont celui-ci allait se moquer cruellement dans le *Ciceronianus* de 1528. Rien dans l'*Itinerario* ne révèle l'obsession des anciens Romains ; César n'est pas cité au passage du Rhin ni à propos de Paris-Lutèce. L'imagination des voyageurs n'est pas hantée par les souvenirs littéraires ; ils s'attardent plutôt à écouter et à enregistrer des légendes médiévales. Tous les cardinaux n'étaient pas taillés sur le modèle « humaniste ».

Où habitait-il ? Ne disposant d'aucune biographie de lui, nous ne pouvons compter que sur les informations fortuites ou les pièces d'archives. Nous devons au professeur Christophe Frommel l'indication qu'en mai 1513 Gianfrancesco della Rovere vendit au cardinal d'Aragon le palais du Borgo bâti par Baccio Pontelli pour Domenico della Rovere vers 1490. On savait par l'écrivain Equicola, l'humaniste d'Isabelle, que Luigi aurait reçu, précisément en 1513, Alphonse d'Este dans ce palais. Il ajoute que Luigi aimait regarder ce qui se passait dans la rue : au voisinage de Saint-Pierre, celle-ci devait, en effet, être assez animée. Le palais qui a pris plus tard le nom de palais des Pénitenciers (ou des Chevaliers du Saint-Sépulcre), était très vaste : il possédait de grandes écuries, ce qui s'accorde très bien avec les acquisitions de chevaux dont nous a informés l'*Itinerario.* Un cardinal doit, au sens propre, mener grand train. Rien ne s'accorde mieux avec la phase « triomphaliste » de l'Église romaine, pendant les deux pontificats de Jules et de Léon.

On pense à une sorte de « jeunesse dorée ». Les têtes de file apparaissent bien dans les innombrables correspondances qui s'entrecroisent d'une Cour à l'autre, en particulier dans les premiers temps du pontificat de Léon X, qui trouve d'emblée un style aimable, accueillant et fastueux. Quand Isabelle d'Este, l'épouse de Francesco Gonzaga, vint à l'automne de 1514 passer quelques semaines — qui vont d'ailleurs devenir quelques mois — à Rome, son cousin Luigi alla au-devant d'elle à Bolsena avec Messer Guiliano de Médicis, le frère du pape. Elle décida de loger chez Luigi, plutôt qu'à la chancellerie chez le cardinal Riario ; pendant les innombrables fêtes et réceptions qu'elle raconte dans ses lettres, la marquise était régulièrement accompagnée des membres les plus jeunes et les plus brillants du Sacré Collège : « Le Réverendissime d'Aragon, Santa Maria di Portico, Cornaro et Cibo, à qui se joignent les deux Médicis, Julien et Laurent ». Souhaitant aller à Naples, elle quitte Rome le 25 novembre avec une escorte composée de Messeigneurs d'Aragon, d'Este, Sienne et Cibo, plus le magnifique Laurent. La troupe devait être assez nombreuse, car chacun avait son équipage et Isabelle avait amené de Mantoue pour toute la durée de son voyage les quatre plus belles de ses fameuses *damigelle.*

Le carnaval à la fin de janvier était une belle occasion attendue. Une lettre raconte comment, après un grand dîner chez le magnifique Lorenzo, il y a eu une « belle chasse de taureaux » — une corrida, en somme — qui dura trois heures. Puis on alla danser et à cette fête étaient venus « les Reverendissimes Monseigneur d'Aragon, d'Este, Sienne et Cibo masqués et Monseigneur Santa Maria in Portico et Cornaro sans masque » (lettre du 29 janvier). La marquise était fêtée par tous les riches Romains, comme Chigi. Mais quelle que fût l'hospitalité de ce milieu, elle dépensait beaucoup d'argent à maintenir son rang, à faire des achats d'antiques, etc. Ses remarques aident à comprendre les problèmes de son cousin. Elle quitta Rome, au printemps, avec des dettes ; tout au long de l'année 1515, elle s'employa à les rembourser aux banquiers romains (dont Chigi), tout en envoyant au Pape et à sa Cour de multiples présents : violes, parfums. Se reposant l'été dans sa villa de Porto, non sans rêver à Rome et à Naples, elle reçut la visite de Luigi en juin et à cette occasion organisa une jolie fête ; « Devant le souhait de l'illustrissime et excellentissime Monseigneur le cardinal d'Aragon de voir des danses à la lombarde », la marquise s'employa à faire venir « de bonnes ballerines » en grand nombre. Tel était le style romain.

Ce grand seigneur aimait la rue et ses divertissements. Tout le monde, on le sait, prenait part au carnaval et à ses masques. C'était là aussi le style romain : il convenait aux cardinaux de donner le ton. Ils se déguisaient et l'on a, par exemple, une relation adressée en mars 1508 au marquis de Mantoue à l'occasion du Testaccio, la fête populaire par excellence : « Saint Pierre-ès-Liens et Louis d'Aragon allaient habillés en mameluks et avaient deux pages portant bouclier et cimeterre » : Saint-Pierre-ès-Liens, c'est Galeotto della Rovere à qui était revenu le titre qui avait été celui de son oncle, devenu Jules II. A la suite de cette parade « à la turque » l'agent de Mantoue rapporta : « Ils avaient un aspect magnifique ; le cardinal d'Aragon l'emportait sur tout le monde par l'élégance du costume, l'allure aisée à cheval et la grâce de sa personne. » Ce trait attire notre attention sur l'une des causes de l'admiration générale pour Luigi : il n'était jamais en reste de trouvailles pour les déguisements et son entrain assurait le succès d'une fête, d'une mascarade, d'une soirée mondaine. Il n'est donc pas curieux que le nom du cardinal soit plusieurs fois associé aux fantaisies du carnaval romain. Il devait être connu pour sa bonne humeur. L'*Itinerario* inviterait à le penser mais nous en avons un témoignage amusant, tout simplement dans le *Livre du Courtisan* de son ami Castiglione (II, 87).

Lisons ce passage. C'est Bernardo Bibbiena qui mène l'entretien sur les jeux de mots, les plaisanteries et les farces, parfois un peu fortes, qui faisaient partie de la sociabilité d'alors. Il raconte avec esprit une mésaventure qui lui arriva au carnaval. Déguisé et masqué, il aime, dit-il, à jouer des tours aux moines *(burlar frati)*; Bernardo aperçoit un moine qui passe, le prend en croupe, soi-disant pour le protéger de la police, et l'amène ainsi vers la via de Banchi, où Monseigneur d'Aragon et Galeotto della Rovere, qui se trouvaient aux fenêtres d'un palais, se mettent à bombarder le moine avec des œufs ; mais le pauvre diable se cramponnait et Bibbiena en fut, lui aussi, tout barbouillé et sali. Quand on eut assez ri, le frère ôta sa capuche et salua

Messer Bernardo en disant qu'il servait chez le cardinal della Rovere, auteur de la farce. Il nous faut donc imaginer Luigi pris au jeu et évidemment complice, jetant ses projectiles sur le collègue contre qui la farce va se retourner et qui la racontera avec tant de bonne humeur qu'on la cite dans un traité destiné à éduquer les gentilshommes. Cette remarquable liberté de ton, ne nous choque que si nous avons formé une notion trop sèche, trop guindée, du milieu de Léon X.

Une autre forme de festivité, typiquement romaine et un peu inattendue, était le circuit des *Stations.* Ce devoir religieux du temps du Carême durait une semaine et consistait à parcourir l'une après l'autre les églises dites de station, de Sainte-Sabine le premier jour à Saint-Pancrace le dernier. C'était devenu, par suite des mouvements de la foule et des promiscuités, une sorte de divertissement où les prélats exhibaient les belles tenues réclamées et acclamées par le public. On y faisait des bons mots. Le cardinal y prenait part ; en février 1510, il escorta sa cousine Isabelle d'Este qui parut en « demi-masque » parmi les dévots (dont elle était, d'ailleurs, par ses habitudes de piété assez strictes).

Des libelles versifiés, souvent féroces et grossiers, parfois simplement ironiques, faisaient partie de la vie romaine. Ils étaient affichés, recopiés, répétés, surtout les facéties dites de maître Pasquin dont la statue à l'angle de la via symbolisait le droit à la moquerie. L'un de ces poèmes apparu au début de 1517 s'intitule *In Leonem et cardinales* (« sur Léon et les cardinaux »). Les principaux princes de l'Église sont nommés et affublés par antiphrase de la vertu qui devait manifestement leur manquer : ainsi, « la grande modestie (du cardinal) de Mantoue et la contrition de Cornaro ». En fin de liste apparaissent :

> « *Cachée ou manifeste*
> *La grande bienveillance entre cardinaux*
> *Et l'âpre pénitence d'Aragon.* »

Aloysius ne passait évidemment pas pour un ascète.

La personnalité originale du prince-prélat s'accorde ainsi parfaitement avec le climat de ces années fortes qui ont changé le cours de la culture de l'Occident. Pour les cardinaux, la foi religieuse est et doit être pour tous maîtresse de bonheur ; elle se déploie en édifices et en cérémonies qui conviennent au peuple chrétien et que ces esprits actifs et décidés ne veulent en rien affaiblir. On a très justement parlé de « l'esthétisme chrétien » du temps de Léon X ; l'attention portée par celui-ci aux grands décors du Vatican et au développement de la musique sacrée en apparaît comme la racine, le support et, après tout, la justification. Faut-il aller plus loin et parler d'« épicurisme chrétien ». Plusieurs fois, en commentant les faits et gestes d'Aloysius, on peut être tenté de le faire, en bravant les malentendus que le terme peut susciter. Depuis le milieu du XVe siècle, un humaniste romain, philologue de grande classe, Lorenzo Valla, avait exposé les principes d'une philosophie religieuse non ascétique, ouverte au monde, et accordée aux aspirations nouvelles. Non seulement la loi du plaisir, *voluptas*, n'est pas mauvaise en soi, mais une certaine joie de vivre doit être considérée comme le ressort principal de l'activité humaine et comme nécessaire à l'exaltation de l'âme vers le divin. Car la religion chrétienne est avant tout une source infinie de bonheur. Le traité *De vero bono* (1433) avait précisé qu'en un sens l'enseignement des épicuriens est le plus proche de la pensée chrétienne qui tend à la béatitude et à l'épanouissement heureux de l'être. Et l'on trouve plus tard chez Érasme un témoignage à première vue un peu inattendu en faveur de cette ligne de pensée. Dans son dernier Colloque, audacieusement intitulé *Epicureus* (1533), l'ennemi juré des cérémonies et des œuvres dans l'Église, a pu — en songeant à la suavité de l'expérience religieuse intime — avancer cette déclaration remarquable : « A dire vrai, il n'y a pas plus épicuriens que les chrétiens vivant dans la piété. »

Il faudrait ajouter à ces propositions l'intérêt passionné pour la musique et le sens du cérémonial qui régnaient dans la Rome de Léon X, pour cerner un peu mieux la vie personnelle du cardinal. Prince laïque, la danse, la chasse, les jeux nobles, sont son partage;

membre du clergé romain, il est attentif à la liturgie. Grâce à cette double « formalisation » de l'existence, un personnage comme le cardinal connaissait une légitime joie de vivre. Et sans aucun trouble de conscience. Par son faste et son style grandiose, l'Église comble la sensibilité du fidèle ; et elle n'en contient pas moins de quoi toujours alimenter la profondeur du sentiment religieux. C'est du moins ce qu'on pensait alors, en ignorant — ou en minimisant — la crise de la foi qui couvait dans le monde chrétien.

On ne voit pas, dans le comportement quotidien du prince-prélat, que son goût de la mondanité, son attention aux œuvres d'art et au pittoresque humain aient en quoi que ce soit altéré sa conscience chrétienne. De Beatis s'excuse de n'avoir peut-être pas noté tout ce qu'il aurait fallu, « étant occupé à réciter l'office divin avec Monseigneur, à servir la messe quotidienne et à la célébrer moi-même assez souvent ». Ce sont des gens sérieux. Le secrétaire-chanoine insiste sur l'authenticité de la relation : « Ou nous avons vu les choses, ou elles sont rapportées d'après des personnes d'autorité, dignes de foi. » « Des actions quasi miraculeuses » *(effecti quasi miraculosi)* y sont-elles incluses, cela est dû à la diversité changeante et à l'origine divine du monde » *(la variatione e deità della natura).* Sérieux, réfléchis et attentifs. Aussitôt après la description du roi François citée plus haut, vient dans le *Diario* l'information suivante :

« Pour la fête de la Madone (on était au 15 août) le roi s'est confessé et a communié, comme il le fait à diverses grandes fêtes : il a exercé son pouvoir de guérir les pauvres gens atteints de scrofule, privilège — dit-on — concédé aux rois de France : la scrofule sèche peu à peu après que le roi l'a touchée et fait le signe de la croix sur le malade. »

Aloysius était compté au nombre des cardinaux les plus consciencieux. En juin 1513, à la septième session du concile de Latran, il est nommé membre de la commission chargée d'étudier la réforme de la Curie, avec Riario, Del Monte, Cornaro, Schiner, Vigerio, Bainbridge. Cette information est donnée par le Vénitien Sanudo. Son souci de la gestion ecclésiastique se manifeste à propos de la Grande Chartreuse, visitée en novembre 1517 ; deux fois reconstruit, ce monastère est admirablement aménagé pour accueillir tous les moines chartreux du monde, mais il est faible en revenus, et, note le Journal, « on soupe très mal, le déjeuner est pire, sans viande, et on y dort on ne peut plus mal, sous de grossières couvertures en peau de mouton », mais « c'est un lieu parfait pour la pénitence et le service divin ». On ne peut mieux apprécier les implications et les inconvénients d'un ascétisme que nul n'est obligé d'adopter, surtout s'il doit veiller à la part mondaine de l'Église.

***

L'hiver 1518-1519, qui suivit son retour à Rome fut fatal à Luigi. Les informateurs vénitiens signalaient à la mi-janvier qu'il était malade. Le journal de Paride de' Grassi, qui tenait en quelque sorte la chronique des affaires vaticanes, indique sa fin comme suit :

> « Le samedi 21 janvier 1519 j'ai appris la mort d'Aragon cardinal-diacre, d'heureuse mémoire, dans sa maison du Borgo. Les exécuteurs testamentaires furent mes cardinaux Cornaro et Orsini. Ils me convoquèrent et me demandèrent comment on pouvait lui rendre le plus grand honneur avec la plus grande pompe, puisqu'il était de souche royale et avait vécu avec éclat. Toutefois, dans son testament il demandait à être enseveli avec simplicité dans l'église de la Minerve, d'où il serait transporté à Naples dans l'église où sont tous ses ancêtres. »

Jusque-là, tout est assez clair. Marco Cornaro, de la promotion cardinalice de 1500, était l'ami de Luigi ; c'est avec lui qu'il avait paru déguisé en Mameluk au carnaval de 1510. Franciotto Orsini n'avait reçu le chapeau qu'en 1518 à quarante-cinq ans ; c'était un personnage très brillant mais aux finances très embrouillées. On conçoit fort bien qu'ils aient tenu à des funérailles de grand style, mais le testament les excluait. Il y eut une controverse, dont la solution a été souvent mal interprétée. Les exécuteurs testamentaires ont souhaité que toute la domesticité, comprenant trois cents personnes en vêtements souples, conduisît le cortège funèbre de nuit en portant des torches blanches et en chantant des hymnes de deuil. « Spectacle inouï et extraordinaire », déclare Paride de' Grassi. On a cru parfois que ces funérailles princières pour mener les restes du cardinal à l'église de la Minerve avaient vraiment eu lieu. Mais il n'en fut rien. Le texte complet de la chronique dit explicitement que Paride s'y opposa, en tant que maître des cérémonies : il ne pouvait introduire une innovation qui devrait être répétée ensuite pour tout cardinal. Le pape ne pouvait l'approuver. C'était une belle idée, digne d'un si grand personnage, mais impraticable. Une cérémonie modeste, sans faste exceptionnel, conformément aux recommandations du défunt, eut donc lieu.

On pourrait s'étonner qu'une simple épitaphe élogieuse ait paru suffisante pour un tel personnage ; il aurait dû être fastueux jusque dans son tombeau, lui qui s'était tant intéressé au problème. Il y a une explication. La tombe monumentale a bien été commandée, et à un sculpteur des plus distingués : Jacopo Sansovino, celui que le pape Léon estimait assez pour lui faire construire l'église des Florentins. Mais Léon X mourut deux ans après le prince d'Aragon. Avec son successeur, Adrien VI (1522-1523), tous les chantiers s'arrêtèrent. Avec Clément VII, la confiance revint et, raconte Vasari, Jacopo « avait accepté de faire les sépultures du cardinal d'Aragon et du cardinal d'Agen (Leonardo

Grosso Della Rovere) ; il avait commencé à travailler les marbres d'ornement et fabriqué plusieurs modèles pour les statues ». Tout allait pour le mieux. Jacopo connaissait alors le succès et « il avait déjà Rome à sa merci », dit curieusement l'historien quand survint, en mai 1527, l'épouvantable sac qui fit fuir Sansevino vers Venise. La Sérénissime devait faire de lui son grand architecte. Mais la sépulture à figures nombreuses, riche d'éléments symboliques, qui nous aurait peut-être livré enfin le portrait du cardinal et révélé quelque chose de plus du personnage — cette belle sépulture, restée virtuelle, est une des victimes du Sac.

Plaque tombale du cardinal d'Aragon. Rome, Santa Maria sopra Minerva. Photo X. D.R.

ANNEXE

La dynastie aragonaise de Naples

L'arbre généalogique d'Aloysius est riche d'enseignements. En trente ans, le réseau familial des Aragonais de Naples s'était étendu à toutes les grandes Cours d'Europe. La fille aînée de Ferrant, qui se nommait Béatrice, avait épousé Mathias Corvin (mort en 1490) ; elle avait régné en Hongrie au moment où la dynastie hunyade modernisait Buda et retenait l'Ottoman. Elle était richissime ; c'est elle qui sauva son neveu d'une situation difficile par le legs de 1508.

Le tableau de cette famille napolitaine comporte un jeu d'inter-relations aristocratiques, un accès à toutes les Maisons princières ; c'est une sorte de « Who's who » européen.

A la mort de Ferdinand Ier en 1494, l'oncle Alphonse II (qui avait épousé une Milanaise, Hipolyta Sforza) n'hérita du pouvoir que pour être bousculé par la cavalcade des Français de Charles VIII, perdre son trône dès 1495 et être remplacé par son fils, dit Ferrantino, le petit Ferrant (1495-1496). Celui-ci disparaît à son tour en 1496 en laissant une veuve : Juana. Étant cousine du cardinal, elle va se faire accompagner par lui en Espagne auprès des Rois Catholiques. Ferdinand le Catholique est en train de négocier avec la France le partage du royaume de Naples, conclu en septembre 1500 et rendu officiel l'été suivant. La victime en est l'oncle de Ferrantino, Frédéric, à qui était finalement revenu la possession théorique du royaume disputé. Furieux contre la politique impérialiste des Rois Catholiques, il s'était retiré en France, où sa fille, Carlotta, épousa le comte de Laval ; il y mourut en 1504.

La fin du XVe siècle avait tellement accablé la famille (nombreuse) de Naples que Guichardin pourra écrire : « On a vu s'accumuler en un lamentable spectacle toutes les infortunes sur la descendance de Ferdinand l'Ancien » ; et toute une littérature sentimentale s'apitoiera sur les malheurs des quatre « tristes reines » : Isabelle del Balzo, veuve de Frédéric, Béatrice, veuve de Mathias Corvin, Juana, veuve de Ferrantino, et sa fille Giovanna.

Le cardinal était aussi cousin de toutes les grandes dames d'Italie : Lucrèce Borgia avait eu pour premier mari le bel Alfonso, assassiné en 1500, un autre petit-fils de Ferdinand Ier, donc un cousin germain d'Aloysius. Il était également lié par le sang avec la rivale de Lucrèce, l'inévitable Isabelle d'Este ; car la mère de celle-ci, l'épouse du duc de Ferrare Hercule Ier, était une autre tante du cardinal. Luigi était donc en famille aussi bien à Ferrare qu'à Mantoue, chez Alphonse comme auprès du marquis Francesco Gonzague. Tout cela lui assurait des gîtes et d'agréables réceptions. Mais il y avait encore aux environs de ces deux Cours italiennes, une petite colonie napolitaine, qu'il eut grand soin d'aller saluer. La veuve de Frédéric, dernier roi de Naples (mort à Tours en 1504), la reine Isabelle, se trouvait avec sa sœur Antonia del Balzo, épouse d'un Gonzague et mère de trois garçons, dans une résidence voisine, Gazzuolo, à douze milles de Mantoue.

GÉNÉALOGIES

1. MAISON D'ARAGON

A. NAPLES

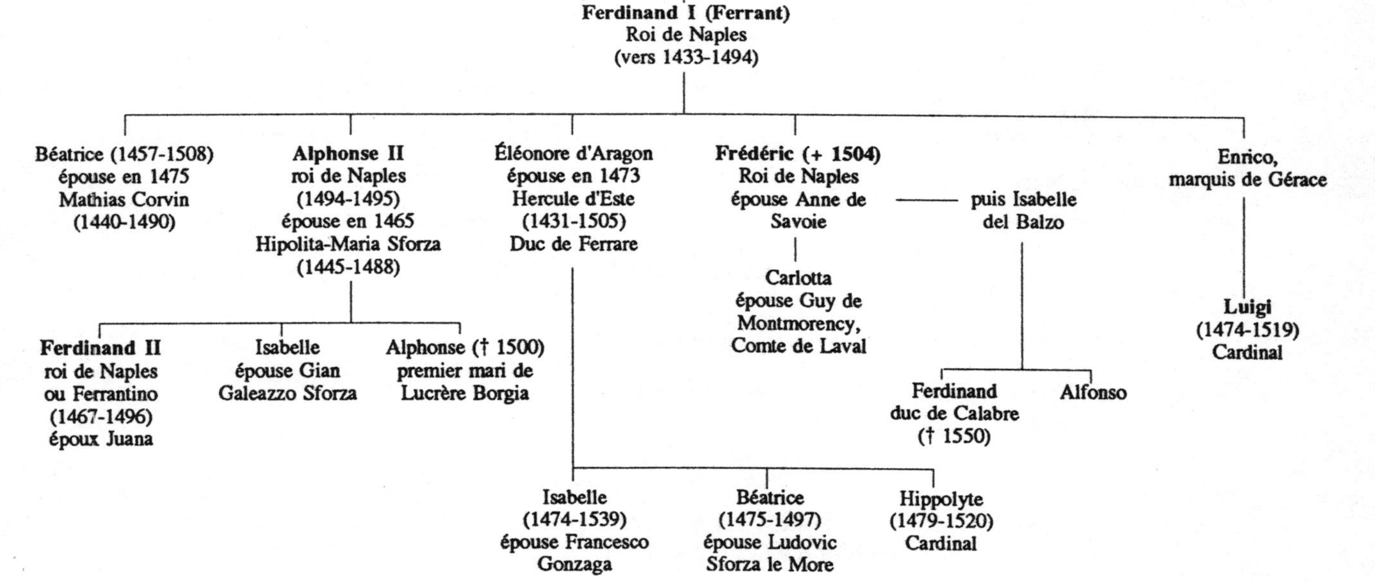

La couronne de Naples passe après la mort de Ferdinand 1er (1494) à son fils Alphonse II († 1495), à son petit-fils Ferdinand II († 1496), puis à l'oncle de celui-ci, Frédéric, dépossédé en 1501 par Ferdinand le Catholique.

1. MAISON D'ARAGON
B. ESPAGNE

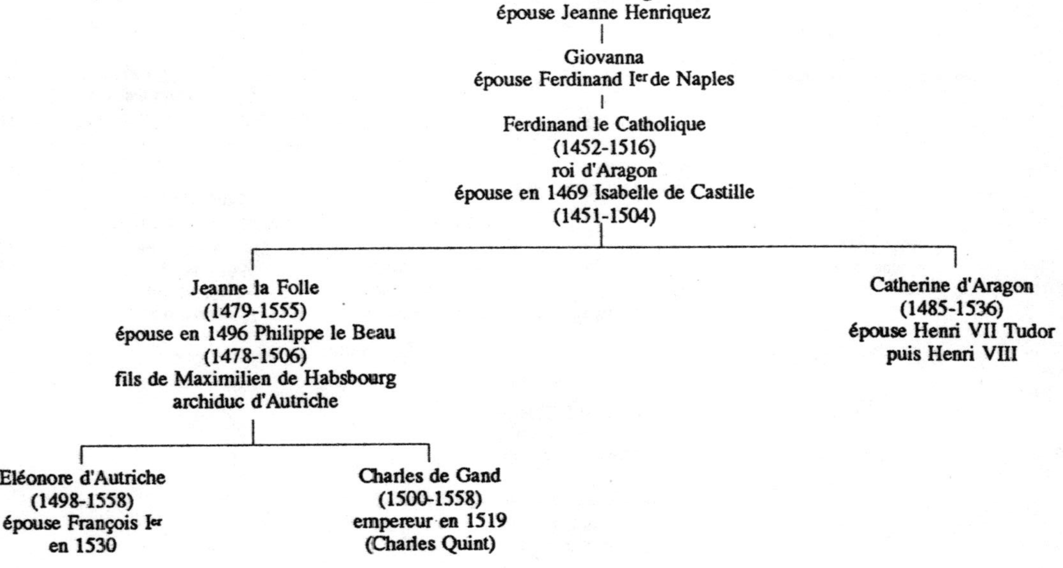

2. FERRARE : Este

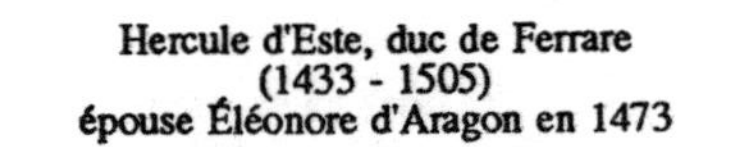

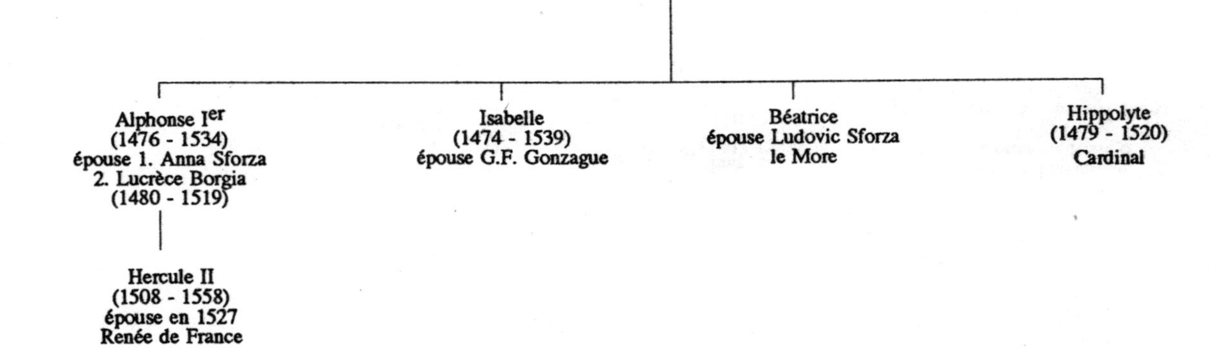

3. MANTOUE : Gonzague

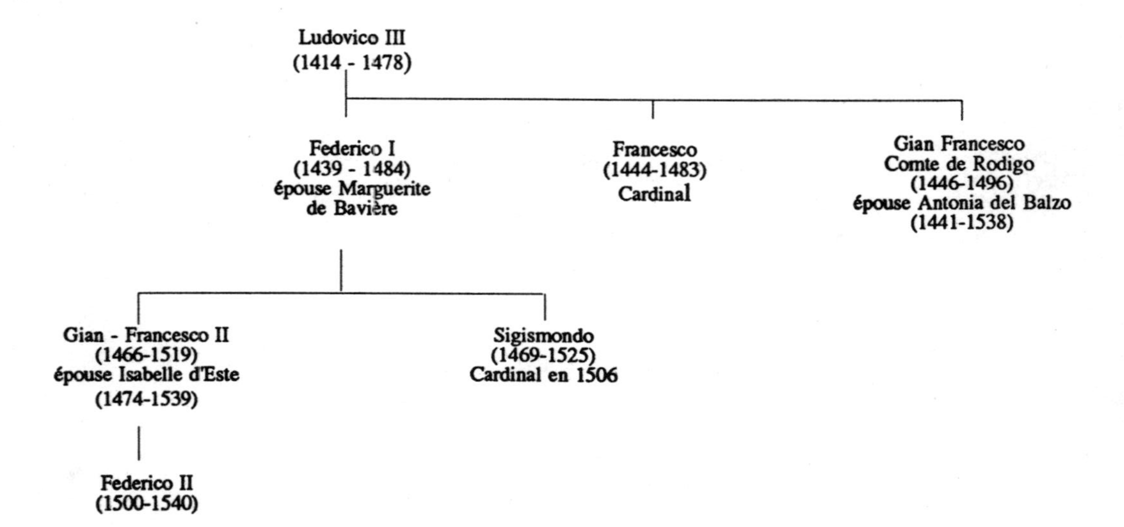

Ludovic III est marquis de Mantoue en 1444, Federico I[er] en 1478, Francesco II en 1484, Federico II duc en 1530.

4. MILAN : Sforza

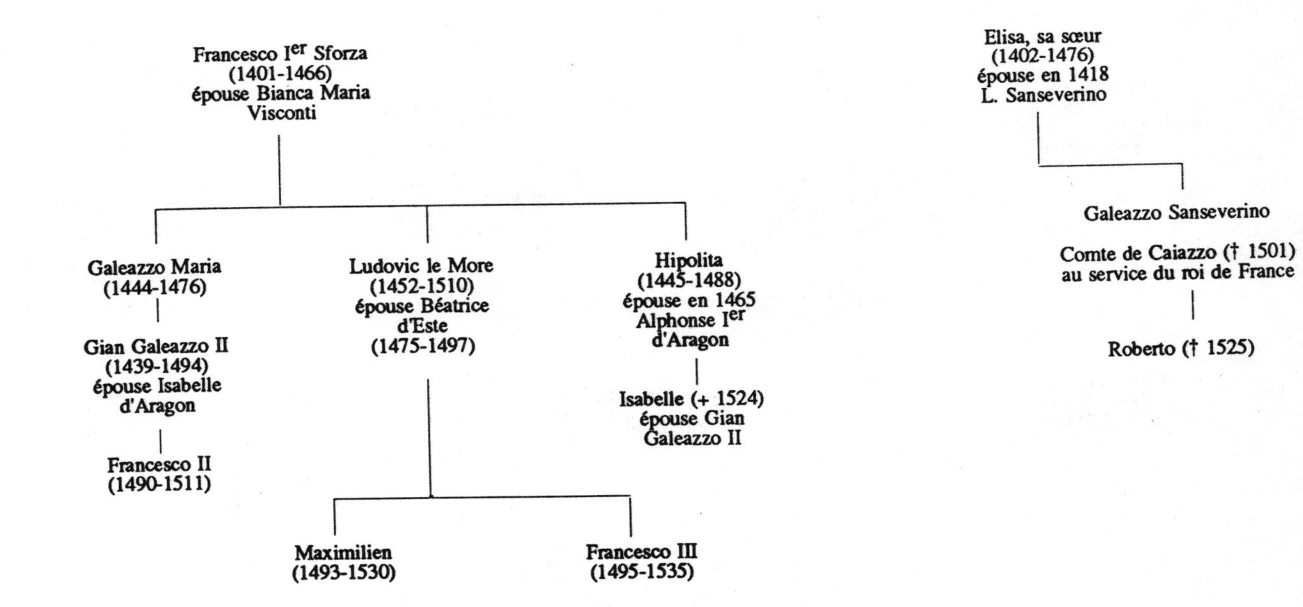

Galeazzo Maria fut évincé par son oncle Ludovic qui fut éliminé par Louis XII en 1500 (et mourut à Loches). Maximilien fut rétabli après le départ des Français.

5. FRANCE

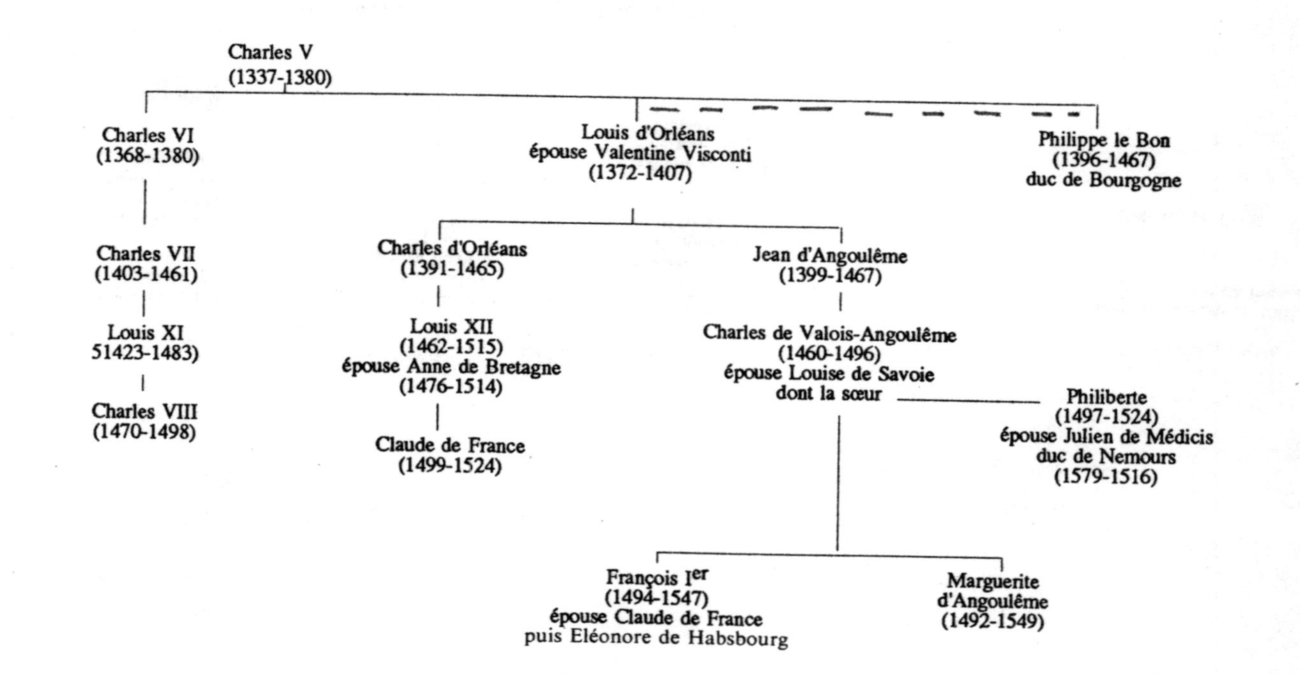

Charles V
(1337-1380)
Charles VI
(1368-1380)
Louis d'Orléans
épouse Valentine Visconti
(1372-1407)
Philippe le Bon
(1396-1467)
duc de Bourgogne
Charles VII
(1403-1461)
Charles d'Orléans
(1391-1465)
Jean d'Angoulême
(1399-1467)
Louis XI
51423-1483)
Louis XII
(1462-1515)
épouse Anne de Bretagne
(1476-1514)
Charles de Valois-Angoulême
(1460-1496)
épouse Louise de Savoie
dont la sœur
Philiberte
(1497-1524)
épouse Julien de Médicis
duc de Nemours
(1579-1516)
Charles VIII
(1470-1498)
Claude de France
(1499-1524)
François Ier
(1494-1547)
épouse Claude de France
puis Eléonore de Habsbourg
Marguerite
d'Angoulême
(1492-1549)

6. HABSBOURG

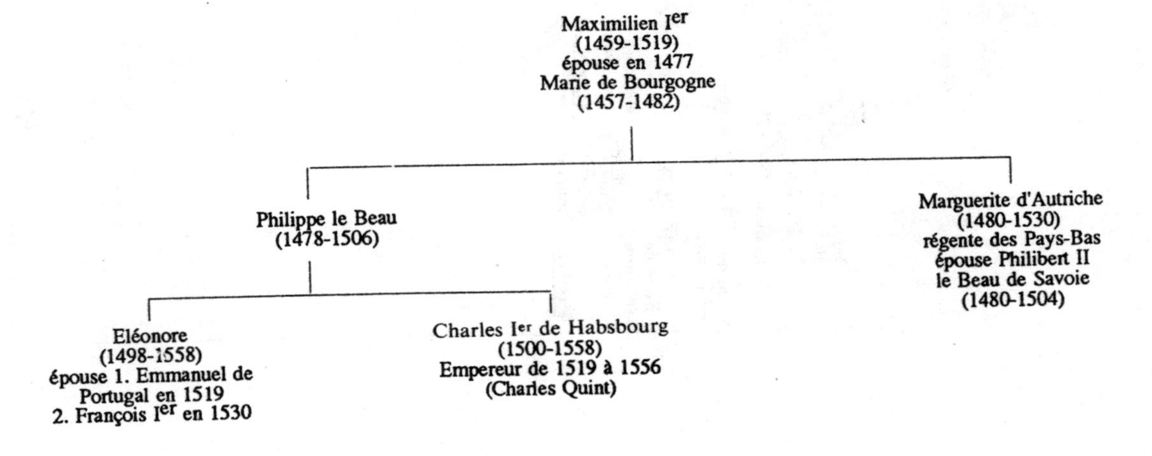

Maximilien Ier
(1459-1519)
épouse en 1477
Marie de Bourgogne
(1457-1482)
Philippe le Beau
(1478-1506)
Marguerite d'Autriche
(1480-1530)
régente des Pays-Bas
épouse Philibert II
le Beau de Savoie
(1480-1504)
Eléonore
(1498-1558)
épouse 1. Emmanuel de
Portugal en 1519
2. François Ier en 1530
Charles Ier de Habsbourg
(1500-1558)
Empereur de 1519 à 1556
(Charles Quint)

Itinéraire du Cardinal d'Aragon (Cartographie J. Blécon)

orkum
ht
Cologne
Bonn
Jülich
Aix.la.Chapelle
St Goar
Mayence
Worms
Spire
Rastatt
Strasbourg
Schaffhouse
Bâle
Nuremberg
Gunzennausen
Weissenburg
Nördlingen
Donauwörth
Lauingen
Augsbourg
Ulm
Landsberg
Biberach
Ravensburg
Rottenburg
Partenkirchen
Constance
Seefeld
Innsbruck
Steinack
Eisack
Chiusa
Bolzano
Salorno
Trente
Borghetto
Vérone
Melara
FERRARE
Mantoue
Gazzuolo
Bozzolo
Cremone
Ospedaletto
Certosa di Pavia
Milan
Vigevano
Casale
Alessandria
Pavie
Voltaggio
Savona
Gênes
Finale Ligure
Alassio
Porto Maurizio
San Remo
Monaco
Nice
Cannes
Fréjus
Le Luc
St Maximin la Ste Baume
Auriol
Chambéry
La Grande-Chartreuse
Grenoble
rgues

Indications bibliographiques

Le texte de l'*Itinerario* se trouve à la Bibliothèque Vittorio Emmanuele III de Naples : ms. X F 28 (avec index des lieux). Cette bibliothèque conserve en outre une seconde copie à peu près identique.

Il a été signalé par L. Volpicella, « Il viaggio del Cardinale d'Aragona », dans *Archivio storico per le Provincie napoletane,* I (1876), pp. 106-117 ; et publié par L. Pastor, *Der Reise des Kardinals Luigi d'Aragona durch Deutschland, die Niederlande, Frankreich und Oberitalien, 1517-1518,* édition et traduction allemande avec introduction par L. Pastor, Fribourg-en-Brisgau, 1905 [voir T. de Wyzewa, « Un touriste italien en France sous François Ier », dans *Excentriques et aventuriers,* Paris, 1910, pp. 45-70 (repris de *La Revue des Deux Mondes,* 15 septembre 1908).]

Version française : *Don Antonio de Beatis, Voyage du cardinal d'Aragon en Allemagne, Hollande, Belgique, France et Italie (1517-1518,* traduit et annoté par M. Havard de La Montagne, préface de H. Cochin, Paris, 1913 [avec présentation sommaire et une traduction malheureusement non exempte de coupures et d'erreurs].

Extraits dans : P. Bourdon, « Le voyage du cardinal italien d'Aragon en Normandie en 1517 », dans *Congrès du Millénaire normand (1211-1911)*, vol. I, Rouen, 1912.

Version anglaise : *The travel journal of Antonio de Beatis : Germany, Switzerland, the Low Countries, France and Italy, 1517-1518,* traduit par J.R. Hale et J.M.A. Lindon, introduction par J.R. Hale, The Hakluyt Society, Londres, 1979 [important pour la littérature des voyages à la Renaissance].

Sur les cardinaux à Rome :

E. Rodocanacchi, *Rome au temps de Jules II et de Léon X,* Paris, 1912.

E. Luzio, *Isabella d'Este ne primordi del papato di Leone X e il suo viaggio a Roma nel 1514-1515,* dans « Archivio storico lombardo », vol. VI (1906), pp. 99 et s.

G. Dickinson, *Du Bellay in Rome,* Leyde, 1960.

P. Partner, *Renaissance Rome. A portrait of a society, 1500-1559,* University of California Press, 1978.

D.S. Chambers, « The economic predicament of Renaissance cardinals », dans *Studies in medieval and Renaissance History,* III (1966).

F. Cruciani, *Teatro nel Rinascimento. Roma 1450-1550,* Rome, 1983.

Henri VIII et François Ier :

Letters and papers, foreign and domestic. Henri VIII, vol. II, part 2 : 1515-1518, Londres, 1854.

Anonyme : « Un chroniqueur gallois à Calais »,

dans *Revue du Nord*, 47 (1965), pp. 195-197.
R.J. Knecht, *Francis Ier*, Cambridge University Press, 1982.

Références particulières :

Jérôme Bosch :
E.H. Gombrich, « The earliest description of Bosch's " Garden of Delight " » dans *Journal of the Warburg and Courtauld Institues*, XXX (1967), repris dans *The Heritage of Apelles*, Londres, 1976.

Les tapisseries de Léon X :
J. Shearman, *Raphael's cartoons and the tapestries for the Sixtine Chapel*, Londres, 1972.

Le témoignage sur Léonard :
M. Kemp, *Leonardo da Vinci. The marvellous works of Nature and Man*, Londres, 1981, p. 268.

Les manuscrits napolitains :
L. Olivieri Sangiacomo, « Il diario del viaggio del cardinale Luigi d'Aragona e i manoscritti aragonesi in Francia », dans *La Parola e il libro* (Padoue), 3 (1947), pp. 260-267.

La Madeleine et la Sainte-Baume :
A. Hufstader, « Lefèvre d'Étaples and the Magdalen », dans *Studies in the Renaissance*, XVI (1969), pp. 31-60.

Les Français en Milanais :

J. Snow-Smith, *Pasquier Lemoyne's 1515 Account of art and war in northern Italy*, dans

LOUIS D'ARAGON

« Studies in Iconography », vol. 5 (1979), Northern Kentucky University, pp. 173 et s.

Index

Table des matières

Illustrations

L'impression de ce livre
a été réalisée sur les presses
des Imprimeries Aubin
à Poitiers/Ligugé

pour le compte de la librairie Arthème Fayard
75, rue des Saints-Pères à Paris

ISBN 2-213-01818-9
35-64-7590-01

N° d'édition, 1194. - N° d'impression, L 21873
Dépôt légal : août 1986

35-7590-9